Klaus Hemmerle

Theologie als Nachfolge

Klaus Hemmerle

Theologie als Nachfolge

Bonaventura – ein Weg für heute

Herder Freiburg · Basel · Wien

Umschlaggestaltung: Josef Geisert

Alle Rechte vorbehalten – Printed in Germany
© Verlag Herder KG Freiburg im Breisgau 1975
Imprimatur. – Freiburg im Breisgau, den 10. Februar 1975
Der Generalvikar: Dr. Schlund
Freiburger Graphische Betriebe 1975
ISBN 3-451-17183-X

Vorwort

Vorliegendes Buch ist aufgrund einer einstündigen Vorlesung an der Universität Freiburg im Sommersemester 1974, dem 700. Todesjahr Bonaventuras, entstanden. Es erwächst aus der Überzeugung, daß Bonaventura wie nur wenige Gestalten der großen Tradition ein Theologe für heute ist, fähig, unserer Not um den Glauben und um seine theologische Reflexion Wegweiser zu sein. Das Buch will keine umfassende Einführung oder Auslegung des Gesamtwerkes von Bonaventura geben, es greift vielmehr jene Gedanken aus seinem Werk heraus, die besonders geeignet erscheinen, den Zugang zu ihm und die Impulse aus ihm heutigem Denken zu erschließen. Die Partien im Werk, die sich auf die Problematik des Ordens, auf die Praxis des geistlichen Lebens, aber auch auf rein dogmatische oder moraltheologische Fragen beziehen, treten mehr in den Hintergrund. Das Buch wurde bewußt so geschrieben, daß auch ein des Lateins Unkundiger dem Text folgen kann. Um dem persönlichen Weiterlesen in Bonaventura einen Anreiz zu bieten, wurden mit Vorrang solche Schriften herangezogen, von denen es eine lateinisch-deutsche Ausgabe gibt. An Einführungen und Kontexten zum dargestellten Gedanken sei besonders verwiesen auf É. Gilson, Die Philosophie des heiligen Bonaventura (Darmstadt 1960), auf den Abschnitt von Hans Urs von Balthasar in Herrlichkeit II (Einsiedeln 1962) S. 267–361, was spezielle Untersuchungen angeht auf M. Wiegels, Logik der Spontaneität (Freiburg/München 1969) (Symposion 28), eine Arbeit, die spürbar in derselben Schule gewachsen ist, aus welcher der Autor kommt; zum geistesgeschichtlichen Kontext auf W. Schachten, Intellectus Verbi – Die Erkenntnis im Mitvollzug des Wortes nach Bonaventura (Freiburg/München 1973) (Symposion 44), sowie zum heilsgeschichtlichen

Kontext auf J. Ratzinger, Die Geschichtstheologie des heiligen Bonaventura (München/Zürich 1959).

Um den aufs erste oft fremden Gedanken Bonaventuras möglichst nahe an unsere Sicht heranzuholen, werden in der folgenden Interpretation Parallelen zu heutiger Problemstellung herausgehoben und Verbindungslinien zu gegenwärtigem Fragen und Denken durchgezogen. Dennoch zwingt die Rücksicht auf Tiefe und Differenziertheit des bonaventuranischen Ansatzes zu einigen „widerständigen", nicht so sehr gelehrten als eher spekulativ anstrengenden Partien. Sie brauchen indessen von philosophisch weniger Geübten nur kursorisch gelesen zu werden. Das betrifft im besonderen einige Gedankenführungen in den Abschnitten III 1.3, IV 2.2, V 1.2 und V 2.2.

Theologie als Nachfolge – dieser Titel will in eine doppelte Richtung führen: einmal ist Bonaventura ein Hinweis darauf, aus welcher Wurzel Theologie ihren Sinn, ihre Methode und ihre Plausibilität gewinnt; zum andern ist seine Theologie ein Hinweis nicht nur fürs Verstehen des Glaubens, sondern auch für die Übersetzung des Glaubens ins Leben, eben für die Nachfolge. Beides ist heute gleichermaßen drängend.

Freiburg i. Br., 19. März 1975   *Klaus Hemmerle*

Inhalt

I.

Zugang: Bonaventuras Fremde und Nähe

1. Warum: Bonaventura?

1.1 Worum es damals ging und heute geht

Als die heilige Klara vor Franziskus trat und er sie fragte, was sie von ihm begehre, soll sie mit einem einzigen Wort geantwortet haben, mit dem Wort: Gott. Wenn der Mensch von heute mit mancherlei Fragen, Anklagen, Provokationen vor die Kirche, vor die Theologie, vor den gläubigen Christen hintritt und wenn man hindurchhört auf das, worum es in solchen Fragen, Anklagen und Provokationen zutiefst geht, dann trifft wiederum kein anderes Wort als dieses selbe: Gott.

Dem ersten Augenschein nach mag dies eine verwegene Behauptung sein. Sagen nicht viele, daß ihnen das Wort Gott gerade nichts mehr sagt? Wird es nicht Hülse ohne einen Inhalt, den der Mensch in seinem Leben verifizieren könnte? Müßte man nicht eher formulieren: Dem Menschen von heute geht es um die Zukunft, um die glaubwürdige Gestalt des Menschseins, um Identität, um Ursprünglichkeit, um das, was man den Sinn des Lebens nennt? Und doch zeichnet sich immer deutlicher ab, daß christliche Antworten, die sich um die letzte Eindeutigkeit des Bekenntnisses herumdrücken, Antworten, die nicht durchstoßen zum befremdlich Eigenen und Eigentlichen des Glaubens, nur zum Anlaß werden, sich enttäuscht von denen abzuwenden, die im Grunde doch nichts anderes anzubieten haben als ungezählte Analysen, Heilslehren, Versuche und Entwürfe sonst auch. Kirche und Theologie – und genaugenommen jeder Christ – sind gefordert, Gott, nichts weniger als ihn, glaubhaft, verständlich und lebendig werden zu lassen.

Die Situation, in der Klara vor Franziskus trat, und die Situation heute berühren sich und klaffen zugleich auseinander. Als Franz von Assisi kam, lag hinter ihm in der Geschichte des Abendlandes ein gutes halbes Jahrtausend gesellschaftlicher Selbstverständlichkeit des Christlichen, wie sie sich in der Epoche des Mittelalters, wie sie sich im Reich und in seiner Kirche herausgebildet hatte. Wenn heute die Menschen danach fragen, was das Christentum ihnen an Alternativen anzubieten habe, dann handelt es sich eben um *Alternativen.* Hinter uns liegt wiederum fast ein halbes Jahrtausend des Unselbstverständlichwerdens Gottes, zunächst im Gefüge der Wissenschaft und schließlich in dem der Gesellschaft. Das ist die scharfe Differenz zwischen uns und dem Zeitalter des Franz von Assisi.

Aber gerade in dieser Differenz bricht auch die Verwandtschaft auf. Das Mittelalter war gewiß geprägt von der Bewegung der Tradition, will sagen vom Rhythmus des Überlieferns vorgeprägter Wahrheiten und Werte, die als maßgeblich ans Künftige überantwortet werden sollten. Doch zugleich mit diesem Weitergeben des unantastbar Überkommenen lief doch auch die anders gerichtete Bewegung: Das Mittelalter ist von Anfang an Geschichte der Reform, und das heißt der je neuen Rückfrage an den Ursprung, ob er noch lebendig und mächtig sei in den Gestalten, die ihn wie ein heiliger Schrein verschließen, damit er nicht verlorengehe. Es genügt, in diesem Zusammenhang an die lange Reihe der mönchischen Reformbewegungen zu erinnern; Benedikt von Aniane, Cluny, die Zisterzienser sind Belege dafür.

In diesem Zug der Geschichte steht nun wie ein Fanal Franz von Assisi. So unverwechselbar er ein Mensch des 13. Jahrhunderts ist, so eindeutig war und bleibt er der Durchbruch evangelischer Ursprünglichkeit. In ihm sind die geheiligten Worte wieder als lebendige Worte erfahrbar, in ihm fällt der Stein, der die Spitze eines ragenden Gewölbes ziert, wieder auf den Erdboden und wird zum Grundstein, auf dem sich gegenwärtiges, alltägliches Leben bauen läßt. Gott von ihm verlangen, wie es Klara tat, heißt, in einem den Urtext des Evangeliums und seine radikale Übersetzung verlangen – beides ist untrennbar, beides dasselbe. Der selbstverständliche Gott wird in ihm wieder zum göttlichen, zum unselbstverständlichen Gott.

Um das, was Franz von Assisi der damaligen Tradition gegenüber an Neuem und ursprünglich Altem darstellt, geht es auch heute: Nur der unselbstverständliche Urtext des Evangeliums, zugleich aber nur die neueste und radikalste Übersetzung dieses Urtextes holen die Geschichte der Verdrängung und des Vergessens Gottes in der Neuzeit auf. Der Mensch sucht heute wieder nach Ursprünglichkeit. Er hatte sich, neuzeitlich, selbst zum Ursprung seiner Welt gemacht in Wissenschaft, Technik, Philosophie und Konstruktion der Gesellschaft. Nun ist er der von sich selbst Verplante, der in seinen eigenen Ansatz Verstrickte und Verfangene, der von sich selbst um seine Freiheit Betrogene geworden. Heute will er den Ursprung, der er ist und doch nicht mehr ist, wiederhaben – und er ahnt zumindest, daß er diesen Ursprung nur dann hat, wenn er nicht nur *sich* als Ursprung, sondern die reine, unverfügbare Ursprünglichkeit, christlich gesprochen: wenn er *Gott* erfährt und empfängt. Die Sprache, in der heute gefragt und verstanden wird, ist eine andere als die des 13. Jahrhunderts, das Wort, nach dem diese Sprache fragt und das sie selbst wieder sprechend werden läßt, ist dasselbe: Gott. Das Drängen nach dem Ursprung, in letzter Instanz: das Drängen nach Gott, bindet – über allen anderen Anschein hinweg – die Epoche des Franz und die unsere zusammen. Doch die Verwandtschaft reicht noch weiter. Was bei Franz faszinierte, war eben dies: Er *sprach* nicht vom Ursprung, er erfuhr den Ursprung und gab ihn in seiner Existenz, in der Begegnung mit ihm anderen zu erfahren. Auch heute begnügt sich der Fragende nicht mehr mit stimmigen Antworten, die aus irgendwelchen noch so einsichtigen Maximen abgeleitet werden. Er will den Ursprung, er will die Antwort, er will den Sinn *erfahren*.

Und schließlich: So begrenzt die mittelalterliche Welt uns heute erscheint, sie war eine *ganze* Welt. Gerade dadurch hat Franz in seine Epoche hinein wirken können, daß seine Erfahrung nicht in einen Auszug aus der Welt mündete, sondern daß das noch so Neue und Andersartige seines Lebens und seiner Botschaft die

Zuwendung zu Gott allein und die Zuwendung zur Welt miteinander verband, daß diese abseitige Gestalt des armen Bruder Franz mehr zu integrieren vermochte vom Gesamt menschlicher Erfahrung als die gängigen Formen und Formeln des Lebens und Denkens seiner Zeit.

Allerdings: Die Parallelen sind Parallelen zwischen dem, was in Franz begegnet, und dem, was wir heute brauchen und suchen. Franz ist wie ein Positiv, zu dem sich unsere eigene Situation zwar als Negativ verhält, aber die Distanz zwischen diesem Positiv und dem Negativ läßt sich nicht durch Erinnerung allein überbrücken. Erinnerung kann nur Anlaß sein, um neue Unmittelbarkeit und Ursprünglichkeit zu gewinnen; schenken kann sie sich nur aus sich selbst, eben: unmittelbar und ursprünglich.

1.2 Bonaventura: die theologische Konsequenz des Franziskus

Die Dynamik des Franz von Assisi hat sich nicht zuletzt darin erwiesen, daß seine Antwort, die eine Antwort des Lebens, man ist versucht zu sagen: des bloßen Lebens war, auch hinausdrang über die Unmittelbarkeit der vollzogenen, persönlichen Existenz. Gewiß sprengte sein Geist das Gefäß, das er sich in seinem Orden schuf, so daß dieser Orden recht bald in die Krise zwischen Fanatismus und Kompromiß geriet. Doch das beinahe noch Unglaublichere als die „Sozialisierung" seines Geistes gelang, wenigstens für einen großen, Geschichte bleibenden, wenn auch oft verschatteten Augenblick. Dieser Augenblick heißt: Bonaventura. Er ist nicht der einzige große Franziskanertheologe der Scholastik – und geistesgeschichtlich wird sich der Kundige auch nicht damit zufriedengeben, Bonaventura bloß auf Franziskus und seinen Impuls zurückzuführen; mehr Ströme der Überlieferung, mehr zeitgeschichtliche Konstellationen treffen aufeinander in seiner Gestalt. Und doch, wenn man durchblickt auf die innerste Struktur, die den Gedanken Bonaventuras prägt, wenn man über das Was seiner Aussagen zum unverwechselbaren Wie hin fragt, so läßt sich die Begegnung mit ihm nicht mehr trennen von der Begegnung mit Franz.

14

Bonaventura hat die Bitte der Klara im Medium des spekulativen Gedankens eingelöst, er hat ein Denken entfalten dürfen, das keinen anderen Anfang duldet und kein anderes Ziel übrigläßt als allein dieses eine: Gott. Und er hat zugleich das andere, was als Kennmal des Franziskus gelten darf, zur Gestalt des Denkens gerinnen lassen: die universale Integrationskraft der einen Mitte, die Öffnung zu aller Kreatur, die aus der exklusiven Zuwendung zu Gott erwächst. Bonaventura hat den Sonnengesang des Franziskus noch einmal geschrieben, indem er Welt und Wissenschaft, Existenz und Geschichte zu Strophen eines Hymnus werden ließ, der nichts anderes besingt als das Eine und den Einen. Und noch ein weiteres bindet ihn, bindet die Textur seines Gedankens an Franz: der eine Zugang zur Entrückung in Gott und zum Sich-Einlassen in alle Dimensionen der Welt ist die Armut und Torheit des Gekreuzigten. Das Kreuz als sein Buch, diese Episode aus dem angeblichen Gespräch mit Thomas, deckt mehr auf, als ihr frommer Schein zunächst vermuten läßt. Kreuz, das ist für Bonaventura aber nicht bloß ein Wort der Botschaft, sondern unlöslich damit verbunden ein Wort der Nachfolge. Theorie und Praxis, Botschaft und Vollzug lassen sich bei ihm an den entscheidenden Stellen des Gedankens nicht trennen; kein Theologe in der ganzen Geistesgeschichte hat so leidenschaftlich und nachdrücklich wie er den Zusammenhang geistlicher Praxis und theologischen Erkennens herausgestellt und reflektiert. Und das ist kein Zusatz, sondern es ist das Mark seines Gedankens: dieser Gedanke selbst versteht sich als Auslegung von Unmittelbarkeit, von Erfahrung.

Was Franz von Assisi und unser heutiges Interesse, ja unsere heutige Not einander naherückt, das spiegelt sich also auch in der Weise, wie Bonaventura Franz ins Medium des Gedankens, der Theologie übersetzt: Gott allein, Erfahrung als Einheit von Theorie und Praxis und Begründung der Theorie in der Praxis des Ursprungs, schließlich umfassende Integration, Suchen und Finden des Einen in Allem und des Alles in Einem dürfen als Merkmale bonaventuranischen Denkens gelten. Anlaß genug, heute auf diesen Denker zu blicken.

1.3 Die Distanz der Epochen

Und doch trifft der Blick auf Bonaventura in ein fremdes, fürs erste schier ungangbares Gelände. Nicht nur, daß er sich vom Stil anderer mittelalterlicher Denker durch eigentümliche Komplizierungen abhebt, die zunächst eher an das verspielte Maßwerk einer gotischen Rosette als an die klaren Strukturen einer Bettelordenskirche gemahnen: Kaskaden von Zahlenspielen und Symbolreihen, von Spiegelungen, Parallelisierungen, Kontrasten, vielfältige Neubildungen in der Sprache – das führt dazu, daß man lieber von ferne bewundert als einsteigt ins Detail. Und doch wird sich zeigen, daß vieles von solchem Detail recht unmittelbar mit der elementaren franziskanischen Wurzel zu tun hat. Aber – und darauf muß noch kurz eingegangen werden – die speziellen Schwierigkeiten des bonaventuranischen Stils sind eingebettet in die fundamentalere Fremde, welche das mittelalterliche Denken, die Scholastik von uns Spätsiedlern der Neuzeit wegrückt.

Daß das Mittelalter unter dem Vorzeichen der Tradition steht, hat uns bereits beschäftigt. In den offenen Horizont der antiken Kultur des Mittelmeerraumes rücken fasziniert die neuen Völker, zumal germanischer Provenienz, als naive Erben ein. Sie rauben nicht einfach, was gefällt, um es ihrem Eigenen als Beutestück einzuverleiben, sondern sie fühlen sich berufen, die Nachfolge anzutreten. Was sie vorfinden, wird herangezogen zur Legitimation und gründet in einem neuen Sinn Tradition. Das Verhältnis zum Erbe, das aus anderem Ursprung empfangen ist, verändert sich, nicht das Erbe selbst. So wenigstens der Intention und dem Selbstverständnis der neuen Geschichtsträger gemäß. Aber gerade das neue Verhältnis schafft den neuen Stil, die neuen Fragen, ja insgesamt: die neue Kultur.

Solches wirkt sich aus in Theologie und Philosophie. Die Autorität schlechthin werden die „Väter", die Schrift und eine sozusagen kanonisierte Auswahl antiker Gestalten, die gleichsam als Wegbereiter Christi, als heidnische Propheten, fungieren. Der Ausweis eines Gedankens liegt nicht darin, daß er Neues sehen läßt oder schon Gesehenes neu zu Gesicht bringt; im Gegenteil, man beruft sich darauf, daß es schon früher, schon von den Großen, schon von Anfang an so gesehen wurde. Zitat tritt an Stelle von Originalität, wird zumindest zum Etikett, hinter welchem diese sich zu verbergen hat.

Das ist freilich noch nicht im vollen und eigentlichen Sinn Scholastik. Hier begegnen wir wiederum jener Dynamik, die uns schon beim Anvisieren der Gestalt des Franz von Assisi auffiel: Der Überlieferung entspricht die Rückfrage an den Ursprung. Dem zu tradierenden Gedankengut entspricht zumindest von Anselm, dem Vater der Scholastik, an die Rückfrage, wie das Tradierte Einwänden gegenüber vor der Vernunft plausibel zu machen, wie ihm angesichts unterschiedlicher Traditionsströme Eindeutigkeit, wie ihm angesichts neuer Fragestellungen neue Gesichtspunkte abzugewinnen seien. Es geht nicht um einen Ersatz der Tradition durch Selberdenken, sondern um eine Einholung der Tradition in solches Selberdenken, das seines Ursprungs in der Gabe freilich bewußt bleibt. Die Konvenienz des positiv Geoffenbarten und Überlieferten zum gegenwärtigen, aus sich selbst her aufbrechenden Fragen und Denken und in solcher Konvenienz die gegenseitige Steigerung von Tradition und Entwurf sind dynamisches Prinzip einer in ihrer Vollgestalt verstandenen Scholastik.

Was uns von dieser Welt trennt, ist die neuzeitliche Emanzipation der Subjektivität. Neuzeit setzt beim Ego, beim Ich an, dessen Selbstkonstitution und Weltkonstitution im Denken nachvollzogen und in allen Bereichen operationalisiert wird. Das bedeutet keineswegs sofort einen Ausstoß Gottes; aber entweder wird Gott zur bloßen Bedingung der menschlichen Subjektivität, oder die menschliche Subjektivität wird als einbegriffener „Fall" in der ursprünglichen göttlichen aufgehoben. Überlieferungen, Autoritäten werden dazu genötigt, sich vor der Vernunft zu rechtfertigen, Vernunft aber ist die Kraft der Subjektivität, sich und alles in seinem Entstehen, in seiner Genese aus der Subjektivität durchsichtig zu machen.

Man könnte, um die Generalisierung und Verkürzung weiterzutreiben, die mit solchen Formeln verbunden, im Interesse einer großflächigen Orientierung aber kaum vermeidbar sind, die epochalen Unterschiede etwa auf folgenden Nenner bringen: Antikes Denken hatte seine Mitte in der Physis, in der Natur als dem Aufgang des göttlichen Ursprungs in die Welt hinein: Welt als Raum göttlicher Epiphanie. Die Neuzeit ist geprägt vom Ansatz der Subjektivität bei sich selbst, in dem Gott, Welt und Mensch in je unterschiedlichen Positionen und in je unterschiedlicher Radikalität auf eines „reduziert" werden. Beidem steht das Mittelalter gegenüber: hier geht es um eine Synthese. Das Maßgeblichwerden christlichen Glaubens läßt zum führenden Prinzip den Aufgang Gottes aus sich selbst, seine Selbsterschließung werden. Dem steht die Erfahrbarkeit und Gegebenheit von Welt gegenüber, damit aber auch die Autonomie des Denkens, durch das der Glaube sich in dieser Welt orientiert und zugleich sich und seine Welt vor den Anspruch der Offenbarung hinbringt. Autonomes Denken verdankt sich und die Welt dem göttlichen Ursprung, aber gerade darin bewahrt es seinen Rang und seine Eigenständigkeit. Man könnte im Mittelalter demgemäß ein Denken der Begegnung als maßgeblich vermuten, und solches wäre – im Blick auf zentrale Gestalten – keineswegs der Sache nach verfehlt; doch die Kategorie der Begegnung tritt als solche gerade nicht in den Vordergrund. Sie ist in der christlichen Geschlossenheit der Welt und des Denkens nicht *als* Begegnung auffällig, sie setzt sich eher durch als die Ordnung, die aus göttlichem Ursprung Gott, Welt und Mensch in ihr Zusammengehören setzt. Die Synthesis geschieht *in* solcher Ordnung; das Ringen des Geistes geht um ihre Interpretation.

1.4 In der Spannung zwischen Glaube und Wissen

In dem soeben grob abgesteckten Rahmen lassen sich Bonaventura und im Verhältnis zu ihm Thomas von Aquin einordnen, die andere große Denkgestalt des 13. Jahrhunderts, die ihn an Bekanntheit und Wirkung übertrifft. Beide repräsentieren einen je eigenen Typ der Synthesis von Glaube und Denken, ein je eigenes Verständnis der Ordnung, die Gott, Welt und Mensch umspannt – dies freilich innerhalb des glaubenden Grundkonsenses und der umgreifenden Problemstellung des Mittelalters.

Blicken wir indessen zunächst nochmals auf unsere eigene Situation, auf den Ort der Theologie heute im Spannungsfeld Glaube – Denken, Glaube – Wissenschaft.

Es geht uns heute um Ursprünglichkeit. Die Unverrechenbarkeit Gottes und des Evangeliums Jesu, die Originalität christlicher Existenz und Botschaft, ihr Ausweis aus sich selbst und allein sind einzig imstande, Christentum als Alternative glaubwürdig zu machen. Apologetik, die nur in der Defensive Einwände abschmettert und Vorzüge des Christentums gegen Nachteile anderer Positionen aufrechnet, weckt eher Verdacht als Überzeugung.

Doch ist der Verdacht ein beinahe automatisches Vorzeichen, das der Fragende und Hörende heute vor das Angebot der christlichen Botschaft setzt. Der methodische Ansatz neuzeitlicher Wissenschaft ist Eliminierung der selbstverständlichen Prämisse Gott. Das bedeutet nicht ohne weiteres die Leugnung Gottes, sondern zielt auf die Emanzipation der weltlichen Sach- und menschlichen Lebensbereiche von einem systematischen Vorgriff, der die Autonomie des Welthaften verdeckt und die Energie für seine Erforschung und Gestaltung lähmt. Daß in solcher Emanzipation alles – latent oder mehr und mehr auch reflektiert – unter die neue Prämisse „Subjektivität" tritt, bleibt freilich die Konsequenz. Und diese Konsequenz bestimmt unser Bewußtsein. Es ist von einem eigenen Rhythmus bestimmt, der uns als der Ausweis realer, objektiver Erkenntnis gilt: Der Mensch erstellt seinen Entwurf – dieser Entwurf wird am vorfindlichen Material verifiziert. Was sich diesem Rhythmus nicht fügt, das gerät unter Ideologieverdacht, das wird zumindest als bloße Hypothese oder gar als bloße Projektion eingestuft.

So kommt der Anspruch des Christlichen ins Kreuzfeuer zweier einander widersprechender Postulate: Zum einen soll es sich als das Eigenständige, Ursprüngliche, Andersartige gegenüber den Verfügbarkeiten und Kontrollierbarkeiten der Erfahrungswelt erschließen, zum anderen soll es sich den Maximen jener wissenschaftlichen Verifikation beugen, welche die Verläßlichkeit dieser Erfahrungswelt garantieren.

Wie wenig sich diese beiden Ansprüche auch miteinander zu

vertragen scheinen, sie signalisieren eine Spannung, die wesenhaft zur Sache des Glaubens gehört: Gottes Offenbarung, die Mensch- und Weltwerdung Gottes in Jesus Christus rücken das in den Ho- rizont menschlichen Denkens und Erfahrens hinein, was aus die- sem Horizont nicht herauszurechnen ist und was mit nichts ande- rem innerhalb dieses Horizontes zu vergleichen ist; und doch präsentieren sie sich *in* diesem Horizont, treten unter seine Bedin- gungen – das Unvergleichbare geht nur im Vergleich auf. Deshalb kann Glaube nicht Glaube bleiben, wenn er sich in Wissenschaft- lichkeit erschöpft; er kann sich aber auch nicht in bloßer Dialektik aus aller Wissenschaftlichkeit draußen halten, sondern muß *in* ihr als ihr Anderes präsent und verstehbar werden.

Zwei Wege der Synthese: Bonaventura und Thomas

So „geschlossen" das mittelalterliche Denksystem uns heute gän- gigerweise gilt, so rasch wir geneigt sind, es durch den Vorrang des Glaubens vor dem Wissen zu typisieren, so dramatisch ist, nä- her besehen, doch das Ringen um das Verhältnis von Glaube und Wissen bei den großen Gestalten und Bewegungen des Mittelal- ters. Besonders eindrucksvoll und trotz allem Abstand aufschluß- reich für uns heute ist hier die unterschiedliche Position eines Thomas und eines Bonaventura.

Beiden steht außer Zweifel, daß wahrer Glaube und wahres Wissen einander nicht widerstreiten können; beiden ist die letzte und ganze Autorität des Offenbarungswortes, beiden aber auch die grundsätzliche Offenheit des menschlichen Geistes auf den Gott hin, der dieses Wort spricht, unerschütterliche Grundlage. Und doch gibt es in dieser einen Landschaft gegenläufige Ansätze für den Weg der Synthese.

Um es vereinfachend zu skizzieren: Thomas sucht den Ausgang bei einer möglichst breiten Basis, die auch Zustimmung bei sol- chen ermöglicht, die nicht von der Voraussetzung des christlichen Glaubens ausgehen. Die Frage, die ihn bestimmt: Was und wieviel erreicht menschliche Vernunft aus sich selbst, in ihrem Ansatz bei dem, was ihr unmittelbar als Erfahrungs- und Bewährungsfeld ge-

geben ist? Der zeitgeschichtliche Hintergrund: die Neuentdek-
kung des bislang in den Schatten Platos gedrängten Aristoteles,
vornehmlich durch den Kontakt mit den arabischen, mohamme-
danischen Philosophen. Der „Empirismus" des Aristoteles, der
Ausgang seiner Spekulation von der sinnlichen Erfahrung, sein
„Weg von unten" eröffnete neue Möglichkeiten der fides quae-
rens intellectum, d. h. jener Bewegung des Glaubens, die sich im
Anderen ihrer selbst, im menschlichen Fragen und Denken, einzuholen sucht. Dabei fällt freilich ein wichtiger Vorentscheid: Als
eigentlicher Gegenstand, als unmittelbares Woraufhin menschlichen Erkennens gilt das Was der sinnlich wahrnehmbaren Dinge,
die Grundrichtung menschlichen Erkennens ist die Zuwendung
zum sinnenhaft Erscheinenden[1]. Eine solche „Priorität" dessen,
was nicht Gott ist, im genetischen Aufbau menschlicher Erkenntnis bringt jedoch keinen Bruch in die angestrebte Synthese. Die
eigenständige und ursprüngliche Rolle menschlichen Erkennens
und welthafter Wirklichkeit vermindert nicht, sondern steigert im
Sinne Thomas' die göttliche Eigenständigkeit und Ursprünglichkeit; denn Gottes Rang als erste Ursache bewährt sich gerade
darin, daß er aus sich Wirkendes, daß er Zweit-ursachen schaffen
kann[2]. Im Gang der Erkenntnis wird Gott, dem gezeichneten Ansatz entsprechend, von unten her, von der Schöpfung her philosophisch vermittelt, durch den Rekurs auf die Struktur der ge-
schöpflichen Wirklichkeit, die sich selbst nicht tragen und erklären
kann[3]. Bei diesem „induktiven" Philosophieren wird indessen der
Sprung nicht zugekleistert, der das vom Menschen aus Erkenn-
bare und das aus der Positivität des sich zeigenden Gottes her
„Offenbare" voneinander abhebt.

Insgesamt ließe sich Thomas ein Denker des *Zugangs* nennen:
in der Unmittelbarkeit des Denkens zu sich und der Welt deckt
er Spuren auf, die Gott als seinen je schon mächtigen Ursprung
und sein je schon anziehendes Ziel sichtbar machen; er zeigt so,
daß menschliches Denken gerade dort zu sich selber kommt, wo
es zu dem kommt, was größer und früher ist als es selbst und was
ihm auch mehr zu schenken vermag als nur das im Denken und
in der Welt Zugängliche. Die Freisetzung von Welt und Denken

versteht Thomas als die Voraus-setzung dafür, daß Gott selbst in die Welt und ins Denken hinein aufgehen kann[4].

Bonaventura ließe sich Thomas gegenüber als Denker des *Ausgangs* bezeichnen. Gewiß thematisiert er den Aufstieg der Seele zu Gott, ihren Wanderweg durch die Welt, aber aller Weg *zu* Gott ist ihm Explikation einer voranfänglichen Anwesenheit Gottes, eine Antwort auf *seine* Initiative. Die Zuwendung zu Aristoteles zieht er in den Verdacht, die Unbedingtheit und Souveränität des sich von sich her schenkenden Gottes zu verschatten. Eine Unmittelbarkeit zu den geschaffenen Dingen erscheint ihm von Anfang an als sekundär gegenüber der Unmittelbarkeit jener Beziehung, in der das Denken sich mit sich und der Welt beschenkt und so über sich und die Welt hinausgewiesen findet. Gott selbst wird so zugleich zum Selbstverständlichsten, weil das Selbstverständnis Tragenden, und zum Unselbstverständlichsten, weil eben sein Anfang, seine Präsenz Geschenk und keineswegs Resultat aus anderen Prämissen ist. Das hat zur Folge, daß die Unausweichlichkeit, mit Gott anzufangen, fürs Denken zugleich Gefährdung bedeutet; denn sein Anfangen ist Antwort, und Antwort selbst ist mehr als sicherbares, herstellbares Resultat. Dann aber steht Wissenschaft, d. h. erkennende Aufarbeitung der Welt und des Erkennens im Erkennen aus dessen eigenen Potenzen, in der Krisis, entweder sich zu gewinnen, indem das Erkennen sich verschenkt, oder sich zu verlieren, indem es sich absolut setzt.

Dennoch schließt auch diese Position nicht die Synthesis zwischen Glauben und Wissen aus, sondern vertieft sie auf eine eigentümliche Weise. Im Vorblick auf einläßlichere Analyse gesagt: *Im* Kontext des Glaubens, im Kontext der Reflexion eigener Endlichkeit erhalten die Wissenschaften bei Bonaventura einen neuen Stellenwert. Sie sind, wie Welthaftes überhaupt, Stufen eines alles einbegreifenden Weges zu Gott, der den Weg Gottes zu uns wieder- und einholt, und auf diesem Weg sind sie je anders, je besonders die Spiegelung des einen alles zusammenbindenden Grundrhythmus des Seins und des Denkens als des Ausgangs aus Gott und der Rückkehr zu Gott.

Zwar scheint aufs erste der Weg des Thomas uns Heutigen

gangbarer als jener des Bonaventura, der beim nur raschen Hinblick den Eindruck eines Welt und Wissenschaft vereinnahmenden Integralismus und einer engen binnenchristlichen Geschlossenheit erwecken mag. Bei näherem Eingehen läßt sich jedoch aus Bonaventura ein tragfähiger Hinweis für unsere eigene Situation erheben: Wer seinen Glauben vollzieht und wer seine Wissenschaft betreibt, tut zwar je etwas anderes, aber er muß deshalb nicht in zwei Subjekte zerfallen; es gibt einen die unterschiedlichen Sach- und Lebensbereiche verbindenden Grundvollzug des Lebens und der Existenz, eine alles integrierende und doch die Differenzen keineswegs verwischende Grundstruktur.

Die Bedeutung des bonaventuranischen Modells bewährt sich nicht nur in dem, was es für einen Vollzug denkender und existentieller Einheit in der Vielheit von Rollen und Bereichen hergibt, sondern auch, ja eher noch näherliegend, in seiner Anwendung auf das Verhältnis von Philosophie und Theologie. Thomas ist das vielleicht größte Beispiel in der christlichen Geistesgeschichte, wie eine aus ihrem eigenen Ursprung gewachsene Philosophie fürs Selbstverständnis des Glaubens, für seine hermeneutische Selbstvermittlung beansprucht werden kann. Bonaventura, der auf viel geläufiges Gut aus platonischen und zumal augustinischen Wurzeln zurückgreift, entwickelt nicht als eigenes Gegenmodell die Adaption einer *anderen,* nicht-aristotelischen Philosophie für den Aufbau einer neuen Theologie. Man hat ihn sogar seiner Grundtendenz nach als aphilosophisch, genauer: als bloßen Anwalt theologischer Eigengesetzlichkeit *gegenüber* der Philosophie betrachten wollen. Diese Deutung hat aber nur ihr relatives Recht; denn die Reflexion Bonaventuras aufs Eigene des Glaubens und der Theologie und entsprechend auf die Grenzen einer beim Denken allein ansetzenden Philosophie ist selbst ein philosophischer Entwurf, ist selbst der Aufgang einer Struktur des Denkens, das mit seinen eigenen Grenzen auch sein Wesen und seinen Gang in den Blick bekommt.

Die Theologie hat in unserer Zeit für ihre lange während exklusive Ehe mit der scholastischen Philosophie sozusagen den „Nichtigkeitsprozeß" angestrengt – man kann bereits wieder unbefangener im Raum der Theologie mit den nicht mehr absolut kanonisierten Gedanken und Gestalten der Scholastik umgehen als noch vor wenigen Jahrzehnten. Die Suche nach anderen Philosophien und Philosophemen, deren sich die Theologie bedienen kann, um ihr Eigenes zu artikulieren, zeigt noch keine rechte Kontur; vielerlei Wellen und Richtungen lösen einander ab oder durchkreuzen sich. Alles in allem macht sich eher eine Skepsis gegenüber der Philosophie in der Theologie geltend, der freilich auf der anderen Seite eine Reduktion des spezifisch Theologischen aufs Anthropologische, Gesellschaftliche, Geschichtliche entgegensteht – damit aber feiert, freilich auf erhebliche Kosten der Theologie, Philosophie in der Theologie ihr heimliches oder offenbares Comeback. Beide Positionen: aphilosophische Theologie in sich *und* in der Rücknahme aufs Philosophische um sich selbst gebrachte Theologie rufen nach einer neuen, redlichen Synthese zwischen Philosophie und Theologie. Wiederum gibt Bonaventura da uns Heutigen zu denken: Kann nicht die Reflexion der Theologie auf ihr Eigenes und Anderes auch philosophische Horizonte aufreißen, Perspektiven des Denkens eröffnen, die von nicht nur theologischem Interesse sind? Hat nicht Philosophie es notwendig, wieder zu ihrer Pflicht und Möglichkeit gebracht zu werden, alles in dem sein und sich zeigen zu lassen, was es ist, ohne dem, was sich zeigen darf, die Grenzen einer thetischen Willkür apriori vorzuschreiben?

Zwei Wesen von Integration

Thomas und Bonaventura artikulieren nicht nur verschiedene Grundmöglichkeiten der Synthesis zwischen Glaube und Wissen. Noch in einem weiteren Sinn ist auf je andere Weise ihr Denktypus gekennzeichnet durch eine besondere Kraft der Synthese. Thomas ist Aristoteliker; aber nicht einmal seine philosophische Position wäre mit dieser Klassifizierung abgegolten. Sosehr seine Nachgeschichte uns daran gewöhnt hat, ihn als Meister der Schule zu sehen, der für jede Frage eine aus differenzierten Gesichtspunkten zusammenwachsende, in sich griffige und stimmige Antwort bereithält, sowenig verläuft sein Denken doch nur linear. Innerhalb des mittelalterlichen Aristotelismus vertritt Thomas seine durchaus eigene Position[5]; darüber hinaus gehört zu seinem geistigen Profil aber auch das kommentierende Eingehen auf den anderen, den neuplatonischen Traditionsstrom damals bekannter Philosophiegeschichte[6]. Faszinierend ist an Thomas die Fähigkeit, aus verschiedenen Positionen Wesentliches für die eigene fruchtbar zu machen, und beinahe noch mehr das Vermögen, sich auf verschiedene Gangarten und Ansätze des Denkens so einzupendeln, daß dabei das Eigene seines Partners zur Geltung, zugleich aber im Gespräch zu einer Integration in einem je weiteren Horizont kommt. Darin ist Thomas bis in den Aufbruch eines geschichtlichen und hermeneutischen Denkens hinein wohl ohne ebenbürtige Parallele geblieben; mehr noch als der Denker der Schule ist er der Denker des Dialogs.

Diese Art von Integrationskraft sucht man bei Bonaventura vergebens. Er ist weit exklusiver, weit strenger geprägt von der durchgängigen Präsenz seines eigenen Ansatzes. Doch während Thomas verschiedene Sichten auf dieselbe Sache miteinander vermittelt, gelingt Bonaventura das gewiß nicht weniger Erstaunliche, verschiedene Sachbereiche durchgreifende polare Spannungen aufzudecken und zu vermitteln, die bei Thomas kaum ausdrücklich werden. An dieser Stelle mögen knappe Hinweise genügen: Das Werk des Bonaventura im ganzen darf gelten als Vermittlung zwischen Rationalität und Mystik, zwischen Ansatz bei Gott allein und Ansatz bei der existentiellen Situation, zwischen schlichter Nachfolge und ins Äußerste vorgetriebener Reflexion, zwischen getreu übernommener Tradition und der Kühnheit eigenen Entwurfs, zwischen „objektiv" expliziertem Glaubensinhalt und „subjektivem" Glaubensvollzug, zwischen Metaphysik und Heilsgeschichte. Solche Vermittlung ist es vielleicht vor allem, was ein Gespräch mit Bonaventura zum Gespräch über die heutige Problematik christlichen Glaubens und christlicher Theologie werden läßt.

2. Warum: Theologie als Nachfolge?

2.1 Von der Nachfolge zur reflektierten Nachfolge

Im Gespräch mit Bonaventura – das hat der erste Hinblick auf seine Gestalt, seinen Kontext und seinen Ansatz wohl gezeigt – sind wir durchaus in unserem Eigenen, in unserer Situation betroffen. Zum Gespräch gehört aber, daß man sich, ausdrücklich oder zumindest stillschweigend, nicht nur über die Situationen der Partner, sondern auch über eine gemeinsame Sache verständigt. Die gemeinsame Sache ist in unserem Falle die Sache des Glaubens und der Theologie, die Sache des Glaubens *als* Sache der Theologie. Versuchen wir, zwar im Vorblick auf Bonaventura, aber bewußt einmal in Abhebung von ihm, zunächst diese Sache selbst anzuvisieren, ihr Vorverständnis zu entwerfen und dieses Vorverständnis sodann ins Gespräch mit ihm einzubringen.

Die Sache christlichen Glaubens, Gottes Offenbarung in Jesus Christus, kennen wir nur, weil Menschen ihm geglaubt haben, weil Menschen ihm nachgefolgt sind. Geschichtlich gibt es das Evangelium ohne Nachfolge nicht[7]. Nachfolge ist die Erschließungs- und Vermittlungssituation für das Evangelium; sie kommt nicht als äußere Zutat zu diesem Evangelium hinzu, sondern formuliert sich in seinen Text und in seinen Inhalt hinein – und dies keineswegs im Sinn einer Verderbung und Verdünnung des Urtextes, sondern als eine für ihn selbst konstitutive, aus ihm nicht herauszulösende Dimension. Das Evangelium ist nämlich von sich her Ruf zur Nachfolge, und nur wo dieser Ruf verstanden und angenommen wird, ist er, was er von sich selber her sein will. Die „Veränderung", die dieser Ruf dadurch erfährt, daß er wiedergegeben wird *aus* der Perspektive der Nachfolge, ist jene „Veränderung", welche die Quelle dadurch erfährt, daß ihr das Wasser entspringt. Anders gewendet: Wie eine heimliche Liebe, indem sie sich bekennt, eine neue Situation zwischen den Partnern schafft, so verändert das Evangelium, indem es ergeht, seine eigene Situation – und das hat es mit allem Ursprungsgeschehen gemein. Evangelium gegenwärtig in der Nachfolge, formuliert aus ihr, das ist Theologie

26

in ihrer ersten Potenz; denn es ist denkendes, weil bekennendes, neu formulierendes, sich am Evangelium verantwortendes *Verhältnis zum* Evangelium.

Doch worin liegt der Grund dafür, daß Nachfolge eine andere Situation fürs Evangelium schafft und somit das Evangelium verändert? Antwort: In der Nachfolge wird die Situation des Evangeliums zur Situation eines anderen, dessen, der nachfolgt. Er bringt sich selber, seine Erfahrung, seine Welt, sein Verhältnis zu sich und allem in das Evangelium ein. Indem er das Evangelium bekennt, bekennt er sich, sagt er selber sein Eigenes und Persönliches mit aus. Damit aber erhält das Evangelium prägende, bestimmende Macht über den Menschen und seine Welt, es wird zur Interpretation nicht nur des Gottes, von dem es kündet, sondern auch zur Interpretation des Menschen, dem sein Ruf gilt. Dies aber, Evangelium als Interpretation des Menschen und seiner Welt, ist Theologie in zweiter Potenz, und diese zweite Potenz ist streng gleichzeitig mit der ersten, läßt sich von ihr so wenig trennen, wie sich Nachfolge vom Evangelium trennen läßt.

Doch in der zweiten ist bereits die dritte Potenz von Theologie mitgesetzt. Das Evangelium kommt zur Gegebenheit in der Nachfolge, wird interpretiert durch die Nachfolge. Die Existenz des Nachfolgenden und seine Welt werden interpretiert durch das Evangelium. Also verifiziert das Evangelium Existenz und Welt und verifiziert die Existenz durch ihre Nachfolge das Evangelium. In einem und demselben Geschehen, im Geschehen der Nachfolge, kommen das Evangelium und die Existenz zu sich selbst, indem sie zueinander kommen. Der Sprung des Evangeliums über sich hinaus und der Sprung des Nachfolgenden über sich hinaus schaffen eine Synthese, in der das Evangelium allererst ist, was es ist; aber auch der Nachfolgende erkennt und bekennt, daß er und seine Welt allererst vom Evangelium her sind, was sie sind. Wo solches Ineinander und Füreinander des Evangeliums und des Menschen kraft der Nachfolge, wo solche gegenseitige Interpretation und Integration sich selber hell sind, da erst ist Theologie im vollen Sinne da.

Theologie in ihrer ersten Potenz heißt also: Nachfolge reflektiert das Evangelium. Theologie in ihrer zweiten Potenz heißt: Durch die Nachfolge reflektiert das Evangelium den Menschen und die Welt. Theologie in ihrer dritten Potenz heißt: Das Evangelium einerseits, Mensch und Welt andererseits reflektieren sich gegenseitig, dies aber ist reflektierte Nachfolge.

An diesem Punkt der Integration liegt freilich auch der Punkt möglicher Krise der Theologie. Daß Nachfolge das Evangelium wirklich in sich auf-hebt, will sagen in all seinen Dimensionen integriert und zu seiner Vollgestalt steigert, und daß zugleich Wirklichkeit und Wesen des Menschen und der Welt auf-gehoben, also wiederum unverkürzt eingebracht und gesteigert sind im Evangelium, das zu zeigen ist nach dem Ausgeführten die Aufgabe der Theologie. Die Integrationskraft des Evangeliums, das als ganzes Evangelium die Nachfolge mitumfängt, die unüberbietbare Einholung des ganzen Gottes und des ganzen Mensch- und Weltseins im vollzogenen Evangelium, das ist zugleich das entscheidende Kriterium für die Wahrheit und Glaubwürdigkeit der Offenbarung.

Doch genau hier stellt sich die kritische Frage: Woher nimmt der theologische Vergleich, das theologische Urteil: daß hier sowohl das Evangelium in der Nachfolge wie Mensch und Welt im Evangelium aufgehoben sind, woher nimmt also die in reflektierter Nachfolge beschlossene Reflexion ihren Maßstab? Ist der Maßstab solcher Synthese ein höheres Drittes gegenüber dem Evangelium und der Nachfolge einerseits und der Welt und dem Menschen andererseits? Und wenn es solch ein höheres Drittes wäre, fiele dieses Dritte dann nicht doch wiederum auf das Selbstverständnis des Menschen zurück? Denn woher sonst als von sich selbst, als von seinem Denken könnte der Mensch den Maßstab gewinnen, um im Denken sich und sein Anderes zu messen? Gewiß, die Synthese kann nicht von einem archimedischen Punkt jenseits des Denkens gewonnen werden. Aber das Denken selbst kann innerhalb der Nachfolge sich nicht über das Evangelium, nicht über den stellen, unter dessen Anspruch es sich gerufen weiß. Der Ort der Theologie ist notwendigerweise die Nachfolge selbst, Nachfolge freilich, die das Denken *als* Denken und somit als sich verantwortendes Denken in Gehorsam nimmt, so aber in die Nachfolge hinein integriert. Theologie ist dort Theologie, wo Nachfolge selber zum Ort ihrer eigenen Reflexion und wo Reflexion zum Vollzug der Nachfolge wird. Ohne solch ärgerliche Unterscheidung des Theologischen löst dieses sich auf, ohne Integration des Denkens in der Nachfolge aber verengt sich diese, unterbietet sie ihr Maß.

2.2. Reflektierte Nachfolge: Nerv bonaventuranischen Denkens

Wer nicht von der Sache der Theologie, sondern vom Eigenen Bonaventuras aus einen Vorbegriff *seiner* Theologie gewinnen will, der kommt unschwer zu ähnlichen Bestimmungen, wie sie sich in unserem Nachdenken ergeben haben. In der Tat, seine Theologie läßt sich als „reflektierte Nachfolge" begreifen.

Bonaventura steht in der Nachfolge des Franziskus, und dieser Franziskus ist für ihn der geschichtlich konkrete Ruf zur Nachfolge Christi selbst. Die beträchtliche Gruppe von Schriften Bonaventuras, die sich unmittelbar mit Franz, seinem Erbe und seinem Orden beschäftigen, erwuchs zwar großenteils aus der konkreten Sorge und Verantwortung für das Geschick der franziskanischen Idee und Bewegung; diese Sorge und Verantwortung sind aber inspiriert von der Leidenschaft für das, worum es bei Franz von Assisi geht, und dies eben ist die Nachfolge Christi, ihre Einholung in die Geschichte, ins persönliche Leben und ins Denken. Die Weise, wie sich das Itinerarium auf die Stigmatisierung des Bruder Franz bezieht, ist kein bloßes Stilmittel, die geschichtstheologische Einschätzung des franziskanischen Zeitalters etwa im Hexaemeron nicht nur eine Spezialität, die mit dem Gesamt seiner Theologie nichts zu tun hätte.

Nachfolge, das umfaßt doch vier Momente: zunächst das Vorausgehen des Herrn, dem Nachfolge sich anschließt, sodann die Disposition, die Bereitschaft, den Entschluß, auf seinen Ruf einzugehen; weiter die dynamische Einholung des Weges des Herrn in den eigenen Weg und schließlich das Eingehen in die Lebensgemeinschaft, ja Einheit mit ihm. Im Vorgriff auf unsere Analysen gesagt: diese vier Momente kennzeichnen auch die Gangart bonaventuranischen Denkens. Er betont den Anfang von seiten Gottes, das Zukommen Gottes auf uns als die Voraussetzung unseres Kommens zu ihm und Denkens über ihn. Zugleich aber fragt er, wie das Denken beschaffen sein müsse, wie der Mensch umkehren und sich erheben müsse aus der Verfangenheit und Verfremdung in sich selbst und der Welt, um sich auf den Weg Gottes zu machen. Er entwickelt in der Folge die Struktur des Denk- und Lebensweges zu Gott als Wiederholung der einen und selben Struktur, die am Handeln Gottes, an seiner Liebe, konkret: am Geheimnis Jesu Christi abzulesen ist; er strebt schließlich hin auf die mystische und eschatologische Einholung, auf jenen Frieden, der für ihn im Friedensgruß des Bruders Franz angesagt und vorgedeutet erscheint[8]. So ist das Denken Bonaventuras strukturiert durch das Geschehen der Nachfolge Christi; er radikalisiert dieses Nachfolgegeschehen freilich über den bloßen Bezug zur evangelischen Gestalt Jesu hinaus in einen Welt und Geschichte einbegreifenden Gesamtentwurf.

Sicherlich ließen sich auch andere Stichworte finden, unter denen genauso plausibel das Gesamt der bonaventuranischen Theologie zusammenzufassen wäre. Gerade der *eschatologische Friede* und die *mystische Einigung* böten sich hier an – doch sind sie im Sinne Bonaventuras nur, was sie sind, als Ziel jenes Weges, der sich eben als Nachfolge auslegt. Ein anderer, ja der von der Denkgestalt Bonaventuras her am besten greifende Schlüssel für den Raum seiner Theologie und Philosophie liegt in seinem Begriff der *ars aeterna*[9]: Christus in der trinitarischen, schöpfungs- und erlösungstheologischen Mitte und Mittlerstellung ist der eine Inbegriff der Wege Gottes über sich hinaus und der Wege in Gott hinein und somit Ausdruck und Inbegriff der alles umgreifenden „göttlichen Kunst". Doch diese Kunst läßt sich als solche nur lesen von den Wegen her, die sie miteinander vermittelt, ja die sie eröffnet – und so liegt auch der Schlüssel zur ars aeterna auf dem Weg geschehender Nachfolge. Versucht man, das Denken Bonaventuras von seinem zentralen Motiv her zu verstehen und in seine

Einheit zu binden, so erscheint es als die Explikation der *Liebe*, die Gott in sich selbst und über sich hinaus ist und die ihrerseits Liebe wirkt und zur Liebe ruft. Doch die Dynamik der sich verschenkenden, mitteilenden und in der Antwort einholenden Liebe ist wiederum keine andere als die der Nachfolge. Die zentralen Motive der Liebe, der ars aeterna, der mystischen Einung und des eschatologischen Friedens stehen so im Kontext von Nachfolge, haben in ihr den konkreten Anlaß. In diesem Kontext von Nachfolge werden Liebe als die initiale Kraft, ars aeterna als die einbegreifende Mitte, mystische Einung und eschatologischer Friede als das alles ausrichtende Ziel offenbar und in ihre Position eingesetzt.

2.3 Nachfolge als hermeneutischer Schlüssel heute

Theologie als reflektierte Nachfolge: dies ist die Summe sowohl des unmittelbar angesetzten wie des aus Bonaventura erhobenen Vorbegriffs von Theologie. Gleichwohl werden wir unseren „unmittelbaren" Vorbegriff derselben Rückfrage unterziehen müssen, die uns eben im Blick auf Bonaventura beschäftigt hat: Gibt es nicht noch andere, genauso plausible Möglichkeiten, die Sache der Theologie zu fassen? Natürlich gibt es sie; aber es gibt auch einen Anlaß, uns heute gerade für die vorgeschlagene zu entscheiden. Die theologische Diskussion der letzten Jahrzehnte ist vor allem bestimmt durch das, was man die kerygmatische und hermeneutische Differenz nennen könnte. Kerygmatische Differenz: im Zuge kritisch-historischer Methode der Schriftauslegung zeichnete sich immer deutlicher und immer differenzierter ab, daß der historisch sicherbare Befund vorösterlichen Sprechens und Wirkens Jesu nicht auf die Weise einer platten Repetition im Kerygma, also in der biblisch verfaßten Glaubensverkündigung der Urkirche vorliegt. Wie verhält sich nun, um eine gängige, aber nicht unproblematische Formel zu verwenden, der historische Jesus zum Christus des Glaubens? Hermeneutische Differenz: zugleich mit dem Auseinanderrücken zwischen dem historischen Jesus und dem Christus des Glaubens rückten aber auch für das

Bewußtsein unserer Zeit der Horizont modernen Fragens und Verstehens und der Horizont neutestamentlichen Sprechens insgesamt auseinander. Wie kann die Botschaft von damals Botschaft von heute werden? Wie kann der Mensch des 20. Jahrhunderts sich und seine Welt in der neutestamentlichen Botschaft wiederfinden?

Jede Fixierung auf jeweils nur einen Pol der genannten Differenzen wäre theologische Engführung. Bloße Kompromisse oder Mittelwege wären unredlich und wenig hilfreich. So legt sich die Frage nahe: Gehören nicht die Spannungen, aus denen diese beiden Differenzen herausspringen, zum Wesen des Evangeliums selbst? Und daß und wie sie zu ihm gehören, wird gerade im Geschehen der Nachfolge und in der Reflexion dieses Geschehens sichtbar.

Zum anderen wird aber auch sichtbar: Nicht ein Reflektieren über die genannten Differenzen, sondern allein das Geschehen von Nachfolge kann die Gleichung zwischen Historie und Kerygma, zwischen evangelischem Anspruch und gegenwärtigem Selbst- und Weltverständnis beglaubigen, ja neu formulieren. Und aus diesem Grund ist die Parallele zwischen dem gegenwärtigen und dem bonaventuranischen Vorbegriff von Theologie als reflektierter Nachfolge mehr als eine formale Verwandtschaft. Bei Bonaventura ist doch die Reflexion Vollzug der Nachfolge im Denken, sein Denken ist Denken in der Nachfolge und als Nachfolge auf dem Weg des Franz von Assisi. Was uns nottut, ist ein solcher Weg, und gerade darum ist für uns das Gespräch mit Bonaventura an der Zeit.

3. Wie: Bonaventura?

3.1 Denk-stil und Denk-weg Bonaventuras

Das unverwechselbar Eigene bei Bonaventura, aber auch das, was er heutigem theologischem Fragen und Denken zu sagen hat, liegt weniger in seiner „Position" als in seinem Weg, weniger im Was als im Wie seines Denkens. Die Meinungen, die Bonaventura vertritt, liegen großenteils innerhalb der Bandbreite dessen, was man bei einem scholastischen Philosophen und Theologen vermuten kann; doch die Konstellation der unterschiedlichen Inhalte, ihre Kontexte und zumal ihre Genese sind frappierend. Daß Methode, daß Weg, daß Wie eine solche Rolle in seinem Denken spielt, zeichnet ihn innerhalb seines Zeitalters besonders aus. Aber dieses Wie und sein Rang sind eben nicht Zusatz zur Sache, zum Inhalt des Denkens, sondern Reflex, ja Konsequenz davon. Nachfolge, so sahen wir schon, hat Wegcharakter, und das Spezifische des Weges der Nachfolge ist, daß er *ein* Weg, aber Weg aus doppeltem Ursprung ist, Weg, der einzig und allein geprägt ist durch den, der vorgeht, Weg, der jedoch gerade so auch den spontanen und eigenen Weg dessen ausmacht, der nachfolgt. In der Tat sind das die beiden Grundzüge im Wie bonaventuranischen Denkens: Es ist weghaftes Denken, das eine Bahn entwickelt und die Stimmigkeit und Tragfähigkeit dieser Bahn nur dem entbirgt, der selbst, der im eigenen Engagement des Denkens und Lebens mitgeht. Das zweite Charakteristikum: Bonaventuranisches Denken ist strukturales Denken, will sagen, Denken, dessen innere Einheit nur dann aufgeht, wenn sie von verschiedenen Punkten zugleich genetisch gelesen wird. Ich muß aus der Position Gottes und aus der Position der eigenen Existenz zugleich den ganzen Denkweg „erzeugen", und ich muß ihn noch einmal erzeugen aus der vermittelnden Mitte des Christus, der göttlichen und menschlichen Anfang in sich beschließt; ich muß in objektiver spekulativer Entfaltung der Data, auf denen das Ganze aufruht, und zugleich in subjektivem personalem Vollzug dasselbe Geschehen durchlaufen und muß es nochmals als die Selbigkeit von beiden, als jenes durchlaufen, was Rationalität *und* Vollzug als seine beiden unlöslichen Dimensionen aus seiner Mitte entläßt; ich muß dasselbe als bleibende, gefügte „metaphysische" Gestalt und als sich begebende, prozeßhafte Geschichte und muß es nochmals als den Zusammenhang von beidem, als die Gleichung von beidem begehen.

Lösen wir die soeben aufgestellte These zumindest durch einen knappen Hinblick auf ihre Anlässe im Werk Bonaventuras ein.

Zwar stammt von ihm einer der bedeutendsten mittelalterlichen Sentenzenkommentare und auch manches kostbare Kommentarwerk zu Büchern der Heiligen Schrift; aber insgesamt ist weniger ein interpretierendes Entlanggehen an den vorgeprägten Texten oder ein scholastisches Abhandeln einzelner quaestiones, d. h. von Fragen mit zugehörigen Begründungen und Einwänden typisch. Kennzeichnend sind für ihn weit mehr in sich stehende Werke, in denen er einen einzigen thematischen Gedanken in einer von ihm selbst entworfenen Ordnung durchführt. Das Thema schafft sich bei ihm den Weg seiner Behandlung von innen her. Damit reicht er über scholastische Gepflogenheiten in jenen Denkstil voraus, der zumal in den großen Entwürfen der Epoche des deutschen Idealismus begegnet. Die Gliederung und der innere Prozeßcharakter des Itinerarium mentis in deum, des Pilgerbuchs der Seele zu Gott, und der Reductio artium ad theologiam, der Rückführung aller Wissenschaft und Kunst aufs Urbild der Theologie, sind „klassische" Ausformungen des Wegcharakters, der Bonaventuras Denken insgesamt prägt. Er tritt allerdings besonders eindrucksvoll dort zutage, wo das Wegmotiv gar nicht als solches auftaucht; Aufreihungen, Gliederungen, Stufungen, die nicht selten aufs erste als bloße Spielerei erscheinen, können einem Denken, das auf seinen eigenen Weg achtet, ihrerseits einen stringenten Wegprozeß im Gedanken Bonaventuras erschließen.

3.2 Weg unseres Mitdenkens

Der Weg des Mitdenkens muß Maß nehmen am Weg *des* Denkens, auf den es sich einläßt. Somit ist aber ein Mitdenken mit Bonaventura auch seinerseits in den Weg- und Strukturcharakter eingewiesen, der Bonaventuras Denken bestimmt. Es wird uns daher beim Gespräch mit Bonaventura vor allem darum zu tun sein, diesen Weg- und Strukturcharakter aufzudecken, aus ihm das zu erheben, was Bonaventura uns über Theologie als reflektierte Nachfolge mitzuteilen hat. Gerade so werden uns weniger die zeitgeschichtlich vorgeprägten Bestand-teile als vielmehr jene Dynamik beschäftigen, die uns aus Heutigem einen genuinen Weg der Nachfolge, eine genuine Reflexion unseres Mensch- und Weltseins im evangelischen Urtext ermöglicht.

Wir werden so keine umfassende Gesamtinterpetation bonaventuranischen Denkens, keine Herausarbeitung seiner Sondermeinungen innerhalb des scholastischen Kontextes, keine Aufarbeitung seiner geistesgeschichtlichen Bedeutung leisten, sondern eben ein Gespräch führen, in welchem sich ein Weg von Bonaventura zu uns und von uns zu Bonaventura bahnt und zugleich – hoffentlich – Wegweisung schenkt für unseren eigenen, heutigen Weg reflektierter Nachfolge.

II.
Die Frage nach dem Ansatz der Theologie

1. Ansatz des Wortes: ekklesialer Ansatz

1.1 Das Wort geht an die Kirche

Bonaventura verfolgt mit seinen Werken ein unverkennbares Interesse: das Interesse daran, daß sein Hörer oder Leser sich auf einen Weg des Denkens und Lebens macht. Dieser Weg des Denkens und Lebens ist für Bonaventura nicht ein beliebiger Vorschlag, sondern eine Berufung: entweder „allgemein" christliche Berufung durch das an alle ergangene Wort Gottes in Jesus Christus oder „besondere" Berufung im epochalen Kontext der franziskanischen Bewegung. Bonaventuras Sprechen und Denken wollen den Ruf zur Nachfolge präzisieren, drängend nahebringen und wollen die Berufenen dazu disponieren und motivieren, auf diesen Ruf einzugehen. Daß Bonaventura mehr will als bloß intellektuelle Zustimmung, bekundet mit besonderer Eindringlichkeit etwa seine „Warnung", die er an den Anfang des Itinerarium setzt: „Zunächst lade ich den Leser ein, nicht etwa zu glauben, ihm nütze Lesung ohne Salbung, Spekulation ohne Devotion, Forschung ohne Bewunderung, intellektuelle Orientierung ohne Begeisterung, Fleiß ohne Frömmigkeit, Wissenschaft ohne Liebe, Einsicht ohne Demut, Studium ohne göttliche Gnade, Sehkraft ohne gottgeschenktes Licht."[10] Mit solchem Interesse steht Bonaventura in der Bundesgenossenschaft des Rufes, des Wortes, er ist, auch wo er reflektiert, im Grunde ein Verkündiger.

Wenn wir nach dem theologischen Ansatz Bonaventuras fragen, dann heißt eine erste und allgemeinste Antwort: Sein Ansatz ist der Ansatz des Wortes. Mit Bedacht sagten wir nicht: Ansatz *beim* Wort; denn das Wort wird nicht thematisiert aus einer

Distanz zum Wort, sondern im Mitgehen mit dem Wort – Nachfolge wird nur in der Nachfolge und nicht jenseits von ihr reflektiert.

Solches Vorgehen unterläuft Bonaventura nicht einfach selbstverständlich, aus der Situation, in der er mit seinem Sprechen faktisch steht; vielmehr hebt er ausdrücklich die Notwendigkeit seines Ansatzes ans Licht. Die erste Frage, die er sich in seinem Spätwerk, den Collationes in Hexaemeron, den Predigten zum Sechstagewerk, stellt, lautet: An wen muß – ja kann allein – das Wort ergehen? [11] Bonaventura fängt also zu predigen an, und er fragt, welches die Stoßrichtung, die innere Verlaufsrichtung seines Wortes, damit aber des Wortes, das er zu verkünden hat, sein müsse. Der Adressat ist ihm nichts Selbstverständliches, sondern der dem Wort An- und Zuzumessende, Wort und Hörer stehen in einer durch das Eigentümliche dieses Wortes bestimmten Korrelation. Der Ansatz des Wortes zum Hörer hin, die Beziehung, die es zum Hörer schafft und zugleich beim Hörer voraussetzt – in der Konsequenz wird sich zeigen: die es sich selber beim Hörer voraussetzt –, dies also ist der Ansatz Bonaventuras.

Bonaventuras Antwort auf die Frage, die er an sich selber richtet, ist freilich schockierend. Wohin spricht Gottes Wort, wohin setzt dieses Wort an? Wir Heutigen würden kaum zögern zu sagen: Adressat ist der ohne dieses Wort heillose, in sich selbst verfangene, der suchende Mensch. Bonaventura aber sagt: Das Wort ist zu richten „an die Kirche; denn das Heilige darf nicht den Hunden und die Perlen dürfen nicht den Schweinen vorgeworfen werden"[12]. Liegt hier einfach der Triumphalismus und die Selbstgerechtigkeit des geschlossen christlichen Zeitalters vor, das ein Außen nicht kennt und nicht duldet? Der weitere Gang der Explikation nimmt eine andere Wendung.

Natürlich weiß Bonaventura, daß Gottes Wort ein Geschenk an jene ist, die aus sich selber es gerade nicht vermögen und verstehen. Er weiß aber auch, daß dem Sprung des Wortes der Sprung des Hörens entsprechen muß, daß das Wort eines Hörens bedarf, welches diesem Wort zugestaltet sein muß. Bonaventuras scheinbar so besitzsichere Antwort klärt sich als höchst selbstkritisch:

„Zunächst ist von uns selbst zu sprechen und zu sehen, wie wir sein müssen. Trifft nämlich der Lichtstrahl in ein krankes Auge, so wird dieses eher geblendet als erleuchtet."[13]

1.2 Geschichte des Wortes als Weg von Kirche

Wie wir sein müssen, das aber wird mit dem Wort „Kirche" benannt, und Kirche wird in den Gegensatz zu „Synagoge" gerückt[14], wobei Synagoge nicht etwa die jüdische Glaubensgemeinschaft, sondern ein Gegenbild von Kirche meint, das durch konträre Verhaltensweisen zum selben Wort Gottes gekennzeichnet wird[15].

Doch nicht nur Synagoge, auch Kirche ist in unserem Kontext mehr als bloß Name für eine Institution. Es kommt Bonaventura selbstverständlich auf diese Institution Kirche an; aber was sie zur Kirche macht, genauer: was sie als Kirche existieren läßt und was sie als Kirche verifiziert, ist ein Vollzug.

Kirche als Adressat des Wortes wird bestimmt als „die Einung der Verständigen, die eines Sinnes und in gemeinsamer Prägung leben, indem sie eines Sinnes und in gemeinsamer Prägung achten auf das Gesetz Gottes, einmütig und in gemeinsamer Prägung zusammenhalten im Frieden Gottes und einmütig und in gemeinsamer Prägung übereinstimmen im Lob Gottes. Doch dies ist aufeinander hingeordnet; denn Lob kann nicht sein, wo nicht Friede, und göttlicher Friede kann nicht sein, wo nicht Beobachtung des göttlichen Gesetzes herrscht."[16] Kirche wird also konstituiert durch eine Geschichte, und diese ist Geschichte ihrer Glieder miteinander in der gemeinsamen Geschichte mit dem Wort Gottes, mehr noch: Geschichte des Wortes Gottes selber.

Zeichnen wir diese Geschichte aus ihren inneren Momenten nach, auf die Hinweise Bonaventuras achtend, die freilich mehr Stenogramm als breite Exegese dieses Weges sind[17]. Das Wort Gottes tritt in dreifacher Stellung auf: in der Stellung des Gesetzes, des Friedens und des Lobes. In allen drei Stellungen bewirkt dieses Wort ein Verhältnis derer, die ihm folgen, zu ihm und zueinander, und immer ist dieses Verhältnis das der Einmütigkeit (concordia) und der gemeinsamen Prägung aller durch das eine, gemeinsame Prinzip (uniformitas).

Wie kommt das Wort Gottes zu solch dreifacher Stellung, was unterscheidet die drei Stellungen voneinander? Im ersten Fall, als Gesetz, ist das Wort das schlechterdings vor-gängige, es kommt zur Gegebenheit allein von Gott her auf die Menschen zu, wird von seinem Ursprung her das Maßgebliche. Solches Maßgeben wird von Bonaventura freilich nicht als statische Vorhandenheit, sondern als lebendiges Wirken verstanden – er erinnert an die Feuersäule, die mit dem Volk Israel durch die Wüste zieht und an deren Bewegung allen offenbar wurde, ob zu handeln, ob zu ruhen ist; entsprechend solle auch die Kirche in gemeinsamem Hinblick auf das eine Wort Gottes ihre Einheit finden[18].

Im zweiten Fall, als Friede, hat das Wort den Ort seines Aufgangs im Zwischen. Indem alle in der Kirche dem Wort folgen, wird es zum Wort in ihnen, wird es zum innerlich sie bewegenden Prinzip, von dem her das Verhältnis des einen zum anderen sich gestaltet. Aus dem Leben der Kirche und derer, die sie sind, geht Gottes Wort auf, und darin geht es als Friede auf. Sie werden füreinander zu jenen, die sich Gottes Wort zu sagen, zu schenken haben. Bonaventura vertieft dies durch den Hinweis auf die zentrale Stellung des neuen Gebotes, der gegenseitigen Liebe (vgl. Jo 13, 34 f), in welcher das Gesetz in seine Erfüllung, in seine Steigerung, in seine neue Potenz, eben die des Friedens, gelangt[19]. Er findet hier die kühne ,,Definition": ,,Kirche heißt gegenseitige Liebe."[20] Durch eine solche Bestimmung wird all das, was zur Identität der Kirche gehört, in einen einzigen Grundvollzug hinein ,,aufgehoben", aufgehoben aber nicht, um es auszulöschen – unser Zitat will gerade den Zusammenhang zwischen Gehorsam und Liebe, zwischen der maßgeblichen und unverfügbaren Kraft des Wortes Gottes aus sich und seiner Kraft in und zwischen uns erhellen.

Dem entspricht es auch, daß Friede in der gegenseitigen Liebe nicht Endstation der genetischen Geschichte von Kirche ist. Im dritten Fall, als Lob, reißt das Wort erneut die ,,vertikale" Dimension auf. Sein Ort ist wiederum das Zwischen, aber ein anderes

Zwischen: Ursprung des Wortes, aus dem es aufsteigt, ist nun die Kirche, die in diesem Wort den Frieden, die Einheit als ihre Existenzweise gefunden hat; ihre antwortende Spontaneität vollbringt das Wort und bringt es über sich hinaus, zurück ins Herz des ersten Ursprungs. Zwischen Gott und uns steht sein Wort als unser Wort, im Lobpreis, in der Liturgie. Doch indem das Wort seinen Weg in unserer Nachfolge durchläuft, „passiert" etwas mit ihm: es bringt neue Fülle zu seinem Ursprung zurück. Bonaventura legt Wert darauf, daß der Einklang des göttlichen Lobes nicht Unisono, sondern Harmonie ist, daß die Vielfalt der konsonanten Ursprünge eingeht in die Antwort der Kirche, welche gerade so Liebe ist[21].

„Neues" Modell für Ekklesiologie

Gewohnterweise geht Ekklesiologie, theologische Lehre von der Kirche, anders vor. Sie sucht entweder den geschichtlichen Weg, wie es von Jesus und seinem Evangelium zur Gemeinde, zur Kirche kam, nachzuzeichnen und aus diesem Weg die unveräußerlichen Merkmale der wahren Kirche Christi herauszustellen; oder sie fragt nach den Bedingungen, unter denen Werk und Person Christi in der Geschichte gegenwärtig und wirksam bleiben können, und stößt von hier aus zu den Grundzügen von Kirche vor; oder nochmals anders, sie entfaltet grundlegende Bilder der Kirche aus Schrift und Tradition und fügt in sie die wesentlichen Bestimmungen ein, die zur Identität und Integrität der Kirche hinzugehören. Bonaventura zeigt demgegenüber einen – man kann das auch heute noch angesichts so vieler ekklesiologischer Entwürfe unseres zu Ende gehenden „Zeitalters der Kirche" sagen – neuen Weg ein: Kirche ist ihm Geschichte, aber er liest die faktische Gestalt der Geschichte von Kirche auf eine innere Geschichte hin, die immer und überall und doch je neu geschieht, solange Kirche geschieht. Kirche ist die Geschichte des Wortes Gottes, der Vollzug *seines* Ansatzes. Gewiß kann diese innere Geschichte von Kirche nicht der Bewährung und Entfaltung an der äußeren entbehren, gewiß kann sie nicht eine Betrachtung etwa des apostolischen und marianischen Prinzips in ihr oder der Bedeutung von Amt, Sakramenten und Charismen ablösen. Aber wie das alles nicht ein spätgotischer Kapellenkranz um eine romanische Kathedrale, wie das alles nicht bloß sekundäre Aus- und Nachwirkung primärer evangelischer Wahrheit ist, das kann an der Alternative Bonaventuras deutlich werden, und hierfür kann diese Alternative den strukturalen Aufriß geben, der sich ins übersprungene Detail hinein ausarbeiten läßt. Vor allem aber ist Bonaventuras Alternative der Hinweis auf die mögliche und nötige Synthese zwischen Kirche als Bestand und Kirche als Vollzug: Weil Gottes Wort die Momente kirchlichen Selbstvollzugs je schon vorumgreift, besteht Kirche, ist sie da. Weil Gottes Vorgriff Zeitigung der Antwort, der je neu aus ihrem Ursprung erwachsenden Gemeinschaft ist, bleibt Kirche auch stets Ereignis, Aufgabe, ja Zukunft. Dieses von innen her geschichtliche Modell des Kirchenverständnisses überbietet jede statische und organisch-evolutive Ekklesiologie, sein streng theologischer Ansatz, sein Ausgang von Gottes Sich-Sagen könnte den Weg zeigen, warum und wie Ekklesiologie überhaupt nicht nur Zusatz und Nachtrag zum Eigentlichen der Theo-logie ist.

1.3 Geschichte des Wortes als Weg der Theologie

Doch es geht uns *hier* nicht primär um Ekklesiologie; es geht uns um den Ansatz von Theologie bei Bonaventura und – im Gespräch mit ihm – vielleicht auch bei uns. Verdichten wir nochmals die erhobene Struktur. Da ist die eigentlich ansetzende, treibende und das Ganze tragende Kraft des Wortes. Dieses Wort ist Ansatz Gottes zu uns, zu seinem Anderen. Es nimmt theologisches Denken mit in seine eigene Stoßrichtung. In diesem Ansatz über sich hinaus ist freilich sein Woraufhin, der Adressat, das „Andere" mitgesetzt. Wir sahen doch, daß dieses Wort sich nicht einfachhin auf die Andersheit dieses Anderen, sondern auf die Entsprechung dieses Anderen bezieht, die das Andere nirgendwoher sonst als aus dem Wort Gottes haben kann. Auf die Frage, an wen das Wort ergehen müsse, gibt Bonaventura zur Antwort: an die Kirche; was er von der Kirche alsdann ausführt, das betrifft gerade die Präsenz und die Wirksamkeit des Wortes Gottes in ihr, allzu lutherisch gesagt, er spricht von der Kirche als dem Geschöpf des Wortes. Doch indem diese alleinige, alles prägende Wirksamkeit des Wortes Gottes in der Kirche zur Sprache kommt, kommt die Kirche als Berufung, als Auftrag an uns, ja als Vollzug unserer eigenen Ursprünglichkeit zur Sprache. Das Wort, das ergeht, führt sich nicht selber auf, sondern indem es alles wirkt, verschenkt es sich und schenkt darin seinem Anderen, zu sein und frei zu sein, ja Ursprung für das Wort selbst zu sein, der dieses Wort wiedergibt und neu werden läßt.

Daher kommt als anderer und die Alleinigkeit des Wortes doch nicht mindernder Partner der Mensch, das Geschöpf, das antwortende Wesen ins Spiel – die Geschichte des Wortes wird zwei-, ja mehrursprünglich; denn der Ursprung der Antwort, die Kirche, ist selber mehrursprünglich. Indem alle in der Kirche vom selben Wort bestimmt werden, werden sie über ihre Jeweiligkeit, über ihre Isoliertheit hinausgehoben zur Einheit, diese Einheit bleibt aber jene der Konsonanz, jene des Zusammenspiels der Vielen und Verschiedenen. Im Spielfeld solcher vertikalen und horizontalen Mehrursprünglichkeit tritt nun das Wort selbst in die Mitte. Es ist das *vorgängige* Wort, das maßgebliche Wort, das Gesetz. Es ist das eingehende, das verbindende, das Wort *in* den Anderen und *zwischen* den Anderen, der Friede. Es ist das Wort *„nach"* seiner eigenen Geschichte, das Wort *aus* dem antwortenden Ursprung, das Wort, das so gerade das Ganze vollendet und steigernd in den Ursprung zurückbindet.

Bonaventuras ekklesialer Ansatz erschließt sich als Ansatz reflektierter Nachfolge, allerdings in ihrer integralen Gestalt; denn die Nachfolge versteht sich hier als Wiedergabe und Weitergabe des sie ermöglichenden, einfordernden Wortes, sie versteht sich hier des weiteren als gemeinsame Nachfolge, die ihr einziges Maß am ursprünglichen Ruf nimmt, *indem* sie Maß nimmt an den anderen, die auf denselben Ruf achten; sie versteht sich hier als in einem gehorsam und normativ – denn der Ruf, dem sie folgt, ist ihr Gesetz; versteht sich als sozial und praktisch – denn ihr Ruf ist der zugleich geschenkte und aufgegebene Friede; sie ist schließlich bekennend und ekstatisch – denn sie ruft das sie eröffnende Wort weiter und zurück als Zeugnis und Lobpreis.

Der interpretierte Text erschöpft nicht Bonaventuras Antwort auf die Frage nach dem Ansatz der Theologie. Er bringt zwar die anderen Aspekte zur Synthese, die das Werk Bonaventuras enthält, doch müssen einige von ihnen noch eigens in den folgenden Abschnitten zur Sprache kommen, damit sich die Fülle und Konsistenz in Bonaventuras theologischem Denken zeigen und damit seine Antwort eingebracht werden kann in die mannigfachen Perspektiven heutigen Ringens um den Ansatz von Theologie.

2. Doppelter Ansatz des einen Wortes: Ansatz von oben und Ansatz von unten

2.1 Dilemma zwischen anthropologischem und theologischem Ansatz

Die prekäre Situation der Theologie zwischen der Anforderung, das Ursprüngliche, Unableitbare, Andersartige christlichen Glaubens zu vermitteln, und der anderen Anforderung, Theologie ihren Platz und ihre Rechtfertigung im Raum neuzeitlicher Wissenschaftlichkeit zu sichern, wirkt sich nicht zuletzt in der Diskussion um ihren Ansatz aus. Man verlangt, daß er anthropologisch, daß er Ansatz von unten sein müsse, und dies im Interesse beider genannten Anforderungen. Daß im Sinne neuzeitlich verstandener Wissenschaftlichkeit Theologie von unten ansetzen solle, scheint auf der Hand zu liegen: Ergebnisse müssen sich als objektiv bewähren, indem sie verifiziert und kontrolliert, im Kontext der Erfahrung ausgewiesen werden. Aber auch im Namen der Ursprünglichkeit und Andersartigkeit des Christlichen gilt der anthropologische Ansatz als der angemessene: An der Erfahrung des Menschen, an seinen Bedürfnissen, an seinem Hinsein auf Sinn und Erfüllung soll das Christliche als die das Menschliche integrierende Antwort sich bestätigen. Wie soll anders als im Blick auf das, was der Mensch ist und worum es dem Menschen geht, der Anspruch der christlichen Botschaft, allezeit und auch heute gültige *Heils*botschaft zu sein, verstanden und beglaubigt werden können? Wie soll anders als in der Erhellung des Verstehens und Selbstverstehens des Menschen die Verstehbarkeit des Wortes gewonnen werden, das mehr als bloß menschliches Wort und doch Wort an den Menschen sein will? Zudem: wenn der Sprung des Wortes Gottes über sich hinaus in die Verstehens- und Lebenswelt des Menschen das Wesen und der Sinn von Offenbarung ist, dann wird doch nur der diesem Wesen und diesem Sinn gerecht, der das Wort Gottes dort sucht, wo es sich selbst zu finden gibt: im Horizont menschlicher Worte, menschlichen Lebens und Fragens.

Das Gewicht solcher Argumente läßt sich nicht abtun; aber lassen sich die Gegenfragen abtun, die der postulierte Ansatz von unten, vom Menschen her doch aufreißt? Es läßt sich nicht übersehen, daß eine nur anthropologische Orientierung von Theologie zunehmend bereits wieder auf Unbehagen stößt. Denn wenn Theologie sich unter die Maxime beugt, nur das könne als christlich in Betracht kommen, was sich gemäß dem Ansatz neuzeitlicher Wissenschaft unter die Verfassung menschlicher Subjektivität subsumieren läßt, dann ist es um das Eigene der Theologie geschehen. Gott kann konsequenterweise dort gar nicht zum Vorschein kommen, wo methodisch ausdrücklich auf die Prämisse Gott verzichtet wird. Eine Theologie, die so von Gott handelt, als ob es Gott nicht gäbe, steht im puren Selbstwiderspruch. Und wenn, im Blick auf den Überschuß des Menschen über seine Machbarkeit, Gott bloß als die Erfüllung und Bedingung dieser Menschlichkeit erscheint, dann hat eine solche Theologie kaum die Chance, sich glaubhaft gegen Projektions- und Ideologieverdacht zu verteidigen.

Die Alternative scheint klar zu sein: Ansatz von oben, theozentrischer Ansatz. Das Wort Gottes fängt bei dem Gott an, der es spricht. Und doch – wenn ein solcher Ansatz sich als Zauberformel verstände, um die Engführungen des anthropologischen Ansatzes zu sprengen, dann muß er auf Einwände stoßen, die ihn so fraglos und unvermittelt auch wieder nicht stehenlassen können. Zum ersten wäre es sicherlich dem göttlichen Gott nicht gemäßer, ihn als Axiom, als verfügbaren Standort und Ausgangspunkt für die Deduktion des eigenen Denkens zu benützen, als ihn von unten, aus der Perspektive eines seiner bedürfenden und entbehrenden Geschöpfes, also aus der anthropologischen Perspektive her anzugehen. Gott als Operationsbasis, als archimedischer Punkt, das wäre eher noch eine Steigerung der Selbstherrlichkeit nur menschlichen Denkens. Zum anderen darf auch nicht übersehen werden, daß alles Denken und Sprechen, das von oben ansetzt, doch menschliches, vom Menschen vorgeformtes Denken und Sprechen bleibt. Sagte Gott sich nur in Worten und Zeichen aus, die es sonst schlechterdings nicht gibt, so sagte er sich nicht aus. Wo der Ansatz von Gott her die bleibende Perspektivität und Relativität des menschlichen Sprechens und Denkens, auch dessen, das Gott aussagt und in dem Gott sich aussagt, vergäße, da setzte unter der Hand der Mensch sein eigenes Denken und Sprechen absolut – auf Kosten des Gottes, um dessen Göttlichkeit es doch geht. Und schließlich ist *die* entscheidende Epiphanie Gottes für den Christen Jesus Christus; damit aber ist die Stätte des Aufgangs Gottes gerade der Mensch, Leben, Sterben und Verherrlichtwerden eines Menschen.

Die Frage nach dem Ansatz der Theologie scheint also in ein Dilemma zu führen: Sowohl der nur anthropologische wie der nur theo-logische Ansatz laufen auf dasselbe, auf die Absolutsetzung des Menschen hinaus. Wie kann der Ansatz der Theologie so geschehen, daß darin Gott wahrhaft Gott und der Mensch wahrhaft Mensch ist? Dies ist die Frage, die wir wiederum in unser Gespräch mit Bonaventura einbringen wollen.

2.2 Bonaventuras Alternativmodell

Die Antwort Bonaventuras zeigt ihre Tiefe, wenn wir nicht nur, ja nicht zuerst die inhaltlichen Auskünfte zusammenstellen, die sein Werk auf unsere Frage gibt. Kennzeichnend für ihn ist die Weise, wie er konkret zu denken ansetzt. Am Anfang vieler und besonders gewichtiger Werke schließt Bonaventura eine Situation auf, die das Spielfeld seines „sachlichen" Gedankengangs allererst umreißt. Die drei Kennmale dieser Situation: Schriftwort, Anrufung, Reflexion auf die Befindlichkeit des Lesers oder Hörers. Man könnte versucht sein, sie als bloße Stilmittel zu betrachten; doch die Weise, wie diese drei Kennmale in den folgenden Gedankengang einbezogen werden, enthüllt die grundsätzliche Bedeutung dieser anfänglichen Situierung des Gedankens. Der Gedanke sagt bei Bonaventura nicht nur etwas, sondern er versucht, das Wort und den Menschen aufeinander zuzubringen – und darum muß ihr fundamentales Zueinander bereits am Anfang stehen, am Anfang nicht bloß als mitzubedenkender Inhalt, sondern am Anfang in einer durch das Wort gestifteten oder ausdrücklich gemachten Beziehung. Das Wort ist Anspruch, das Eingehen auf das Wort ist bittender, preisender, nachfolgender Einsprung in das Wort und darin Mitnahme der eigenen Situation ins Wort, Entbergung dieser Situation durchs Wort.

Das Gesagte wird anschaulich an der Einstiegspassage des Itinerarium. Sein erstes Wort: „Im Anfang rufe ich den ersten Anfang an."[22] Bonaventura verknüpft sein Anfangen mit dem, welcher *der* Anfang ist, und das Band der Verknüpfung ist die Anrufung, also nicht aussagende Reflexion, sondern anredende Beziehung, die diesen Anfang oben und den Anrufenden unten sein läßt, die den ersten und den eigenen zweiten Anfang zugleich aneinander bindet und voneinander unterscheidet. In der Folge erklärt Bonaventura, wer dieser Anfang ist: der Vater, und er bestimmt den Vater dadurch, daß von ihm das Licht fürs eigene Denken, daß von ihm überhaupt jegliche gute Gabe herniedersteigt. Der erste Anfang wird also nicht als ein fixer Punkt anvisiert, sondern der Anrufende wendet sich hinein in die Initiative dieses ersten Anfangs, und diese Initiative umfaßt zwei Momente: der erste Anfang bleibt oben, ja geht gerade in der Anrufung als das Oben auf; doch als dieses Oben konstituiert der erste Anfang nicht nur das Unten, sondern er beschenkt es, er gibt sich seinem Unten im descensus, im Abstieg zum Unten. Die Position des „Vaters der Lichter" wird nicht allein als der allgemeine Rahmen für die eigene Denksituation bemüht, vielmehr wird diese Position für das konkrete Unterfangen dieses eben zu beginnenden Denkens aktualisiert: Jetzt, für den eben anstehenden Denkweg, soll er uns erleuchtete Augen geben.

Darin aber klingen zwei für die Situation des Ansatzes entscheidende Bestimmungen an: einmal die Situation der eigenen Ohnmacht, die nicht aus sich selber zu sehen vermag; zum anderen eben die Kommunikation des selben und einen Lichtes, in dem die von Gott her eröffnete Landschaft des Zusammenhangs zwischen ihm und uns auch für uns sichtbar und begehbar wird. Das Sehenkönnen selber wird so nicht im Interesse eines Bescheidwissens, einer bloß intellektuellen Steigerung der eigenen Erkenntnis erstrebt, sondern als Orientierung für einen Weg, für den „Weg des Friedens", der alles Begreifen übersteigt.

Die Ansatzsituation umfängt also den anrufenden Aufstieg zum erstanfänglichen Oben, darin den anfangenden Niederstieg des Oben und daraus den „zweiten" Aufstieg vom Unten ins Oben, den Weg, der das Oben von unten her im Vollzug einholt. Solcher übersteigende Vollzug geht – nochmalige Bestätigung der Verwiesenheit des Unten aufs Oben – über alles Vermochte und Erwartbare, über den Horizont des Begreifens hinaus, hin zu dem, was für Bonaventura „Friede" heißt, vollkommenes Ineinandersein des Oben und des Unten, wahrendes Aufgehobensein des beiden ineinander, Gemeinschaft des Oben mit dem Unten, des Unten mit dem Oben.

Es sei in diesem Zusammenhang vermerkt, daß sich dieselben Momente in anderer Position dort wiederholen, wo nach dem Prolog der „inhaltliche" Gang des Werkes im engeren Sinn einsetzt[23]. Dieser inhaltliche Gang ist ja der Aufstieg der Seele zu Gott – aber trotz der eindeutigen Klärung, die bereits der Prolog schafft, unterläßt Bonaventura es nicht, wiederum die führende Rolle des Oben, die Kraft des Oben als Kraft zum Oben namhaft zu machen und als den Horizont dieses Aufstiegs und seine Voraussetzung das Gebet als „Mutter und Ursprung der tätigen Aufwärtsbewegung" (sursumactio) anzuempfehlen.

Kehren wir nochmals zum Prolog zurück: Das Auseinander und Zueinander des Oben und Unten sind genannt, das Spielfeld des

Gedankens ist zum Kraftfeld seiner Bewegung und zum Begegnungsfeld der Partner, Gottes und des Menschen, geworden. Doch noch einen entscheidenden Punkt haben wir übergangen: die Vermittlung. Die Anrufung, aber auch die Ankündigung und Gabe des Friedens geschehen durch Jesus Christus und durch den, der ihn, als Fürsprecher und als Verkündiger, wiederholt, erneuert, nahebringt: Franz von Assisi. Die fundamentale Vermittlung durch Jesus Christus, die uns in anderem Zusammenhang noch als *der* Knotenpunkt des bonaventuranischen Ansatzes der Theologie zu beschäftigen hat, wird nicht durch die sekundäre Vermittlung in Franz verschattet oder gar verdrängt, sie wird vielmehr eingeholt, wiederholt, nahegebracht, sie ist die einzige und ganze Kraft *in* der Zweitvermittlung. Doch wiederum ist es typisch für Bonaventura, daß das Allgemeine und Fundamentale sich zuspitzt aufs Konkrete, auf die Situation zu.

Bleibt nur noch zu vermerken, daß die in der Situierung des Anfangs eingeführten Motive zugleich die Leitmotive des gesamten Weges sind, den das Itinerarium beschreibt.

Der Blick über das Itinerarium hinaus auf andere Werke Bonaventuras erlaubt einen bestätigenden und erweiternden Nachtrag. Es sind zwei Schriftworte, die in den Einleitungspassagen Bonaventuras eine bevorzugte Rolle spielen. Das eine ist das uns bereits vom Itinerarium her geläufige Zitat des Jakobusbriefes vom Vater der Lichter, von dem jede gute Gabe und jedes vollkommene Geschenk stammen[24]. Die andere Stelle: „Ich beuge meine Knie vor dem Vater unseres Herrn Jesus Christus, von dem alle Vaterschaft im Himmel und auf Erden ihren Namen hat" (Eph 3, 14)[25]. Beide Worte markieren den Ansatz von oben, beide schwingen sich ein in die Bewegung Gottes, der sich verschenkt; beide kennzeichnen aber auch die eigene Situation dessen, der zu denken anfängt, als unten, als angewiesen und hingeordnet auf den Anfang von oben.

Die innere Dramatik dieses Unten, dieser unserer Situation, tritt in anderen Schriften als dem Itinerarium eher noch schärfer hervor; sie erweist das relative Recht des Ansatzes von unten, vom Menschen her, rückt diesen aber gegenüber heutigen Postulaten in einen anderen Bezugsrahmen. Der Mensch ist zwar grundsätzlich, als Geschöpf, „überfordert" durch die Gabe Gottes. Wenn Gott ihm etwas geben will, so muß er ihm auch je geben, die Gabe empfangen zu können. Aber die ursprüngliche Befähigung des Menschen für Gottes Gabe ist nochmals gebrochen und gefährdet durch den Einbruch der Schuld. Darauf kommt Bonaventura immer wieder zu sprechen, auch im Itinerarium, doch besonders einläßlich im Soliloquium[26]. Aus dieser heilsgeschichtlichen Situation der Schwäche menschlicher Einsicht und Kraft und ihrer erhöhten Versuchlichkeit, sich an vorletzte Ziele zu verlieren, erhält die uns bereits aus dem Hexaemeron bekannte Frage „Wie müssen wir selber sein?" bei Bonaventura ihren bohrenden Klang. Wenigstens indirekt gehört sie in der Regel zum Anfang, zur Situierung des Gedankens bei Bonaventura. Das Soliloquium, aber auch anderwärts angestellte Reflexionen über die Schwerfälligkeit des Menschen, die an sich so evidente Nähe, Größe und Güte Gottes zu sehen, charakterisieren die Dialektik, in welcher menschlicher Ansatz auf Gott zu steht. Als die eigentliche Unmittelbarkeit gilt Bonaventura die Unmittelbarkeit zum sich gebenden, in seiner Gabe das eigene Sein und Erkennen allererst in Gang bringenden Gott. Diese Unmittelbarkeit ist aber oftmals verstellt durch die andere, die Unmittelbarkeit zu endlichen Gegenständen und Zielen. Solche „falsche" Unmittelbarkeit muß durchschaut, aufgebrochen werden. Sie stammt aus einem falschen Vor-urteil, einer falschen Hinneigung zum Entsprungenen statt zum Ursprung. Umorientierung tut also not, gelingt aber keineswegs selbstverständlich; sie muß dem Menschen, seiner Freiheit abgerungen werden, indem ihm die fernere und doch zugleich viel nähere, größere und integrierende Unmittelbarkeit Gottes als das den Einsatz des Daseins allein Lohnende vorgestellt wird. Die Umorientierung ist in einem Umorientierung weg von sich auf den größeren Gott *und* Umorientierung aufs unverstellte, ursprüngliche eigene Sein, Aufhebung der Entfremdung zu Gott *und* der Selbstentfremdung. Bonaventura zieht die Formel des Ambrosius heran: Gib dich dir selbst zurück (redde ergo te tibi)[27]. Das Entscheidende solcher Rückgabe an sich selbst und Rückkehr auf sich selbst in der Rückgabe an Gott und im Aufbruch zu ihm ist wiederum der Vorrang der Gabe vor der Leistung; nicht Ethos, sondern Glaube ist das erste, was ins Spiel kommt, Glaube als Handelnlassen Gottes am eigenen Ich – wobei solches Handelnlassen freilich seinerseits *auch* menschliches Tun, antwortende Haltung, Ethos ist. Die berechtigten Momente des anthropologischen Ansatzes sind so aufgegriffen, aber zugleich umgriffen von der initiativ bleibenden Struktur des Ansatzes Gottes zum Menschen.

Eine weitere Perspektive desselben: Bonaventura visiert stets das Ziel an, auf welches der Weg des Menschen und der Geschichte weist: der eschatologische Friede, die Schau Gottes, die Seligkeit. Das Heil, das erfüllende Woraufhin menschlichen Suchens und Strebens prägt sein Denken von seinem Anfang, von seinem Ansatz her. Wiederum trägt sich die „anthropologische" Perspektive ins bonaventuranische Konzept von Theologie ein; doch wiederum geschieht dies auf eine typische Weise: Einung mit Gott, Schau Gottes, Seligkeit sind nicht primär abgelesen von einer Bedürfnisanalyse des Menschen, sondern vom Blick auf den Ursprung, der eingeholt sein will und der, weil Ursprung, auch allein dem Entsprungenen genügt. Bei Bonaventura ist Heil nicht so sehr ein induktiv, vom menschlichen Ganz-Sein her ermitteltes und postuliertes Supplement, sondern vor allem die Konsequenz des Ansatzes von Gott, vom je größeren Ursprung her. Dieser je größere Ursprung setzt sich auch im Ende durch; denn das Ende des Weges zu Gott ist je wieder ein Lassen und Verlieren, eine Negativität, die alle Aktivität und Positivität einzig *ihm* einräumt. Nachdem im Hexaemeron die Weisheit, die Bonaventura als das Ziel des Wortes gilt, ihre steigernden Stufen der Eingestaltigkeit, Vielgestaltigkeit und Allgestaltigkeit durchschritten hat, vollendet sie sich in der Kehre, im scheinbaren Abbruch zur Nichtgestaltigkeit[28]; was sie erreicht, muß sie wieder verschenken, damit das letzte Wort, auf das sie nicht von sich her sich festlegen darf, Gott allein sprechen kann. Ähnlich steht am Ende des Itinerarium, am Ende des Aufstiegs durch die Schöpfung bis hin zum dreifaltigen Gott, das Feuer, das wegnimmt und umgestaltet, der Tod, durch den hindurch erst Gott sichtbar wird[29]. Ansatz aufs Ziel zu – das meint bei Bonaventura den initiativen Überschuß des Zieles über das Erstreben und Vermögen des Menschen hinaus.

2.3 Profil der bonaventuranischen Synthese

Wie läßt sich aus solchem Befund die Frage nach dem Wie einer Vermittlung theologischen Ansatzes von oben und von unten, von Gott und vom Menschen her beantworten? Versuchen wir den Ertrag in fünf Schritten zusammenzufassen.

Die *erste,* grundlegende Einsicht: Bonaventuras Denken ist zwar eindeutig ein Ansatz von oben, aber nicht im Sinn eines Systems, das aus einer Prämisse heraus entwickelt, dessen Einzelpositionen aus einer Erstposition deduziert würden. Der Ansatz von oben stiftet Beziehung, Gegenseitigkeit, und er erschließt sich nur *in* Beziehung und Gegenseitigkeit. Der Ursprung des Denkens im Zueinander von Empfangenhaben, Anrufung, neuem Empfangen und Aufsteigen enthebt uns dem gezeichneten Dilemma eines bloß theologischen oder bloß anthropologischen Ansatzes, die beide letztlich in eine Absolutsetzung des menschlichen Denkens zurückfallen. Denn ob der Mensch sich nun selbst zum Maß dessen erhebt, was er von Gott wissen, erwarten und empfangen kann, oder ob der Mensch Gott als Prinzip in sein eigenes Denken einsetzt, dabei die Endlichkeit eigenen Sprechens und Erkennens vergessend oder übergehend und somit heimlich verabsolutierend, immer wird Gott subsumiert unter den menschlichen Gedanken, und immer bleibt diesem Gedanken daher, zumindest verborgen, der Stachel der Unheimlichkeit für sich selbst. Wo jedoch die Alleinigkeit des Anfangs Gottes gerade seine Alleinigkeit in der von ihm gestifteten und freigesetzten Beziehung zum Menschen und des Menschen zu ihm ist, da bleibt Gott Gott und der Mensch Mensch, gerade auch wenn der Mensch in die innigste Einung mit Gott hineingenommen wird und wenn der Mensch sich und alles so sehr Gott verdankt, daß Gott wahrhaft alles in allem ist.

In einem *zweiten* Schritt, der freilich im ersten schon mitgesetzt ist, zeigt sich ausgerechnet in der „Exklusivität" des bonaventuranischen Ansatzes von Gott her die anthropologische Perspektive allein als gewahrt. Geht der Mensch nämlich von seiner Vorfindlichkeit und von dem aus, was an Bedürfnissen, Erwartungen und Steigerungsmöglichkeiten aus ihr herausanalysiert werden kann, so bleibt er notwendig mißtrauisch, wenn die Botschaft von der Erfüllung genau „paßt": Hat er sich nicht nur selbst extrapoliert, sich selbst nur sein eigenes Bild vorgemalt, nur die Linien seines eigenen fragmentarischen Daseins ausgezogen? Wo das Geschenk nur von der Erwartung, wo die Erfüllung nur vom Bedürfnis, wo das Ziel nur vom Streben her gelesen wird, da bleiben Geschenk, Erfüllung und Ziel in der Schwebe – und in solcher Schwebe droht der Mensch in sich selbst zurückzusinken, droht er dessen, was größer ist als nur er, und darin gerade seiner selbst verlustig zu gehen. Gewiß behält die Analyse menschlicher Existenz auf ihr Woraufhin ihren heuristischen Wert – eine Botschaft, die am Menschen vorbeiginge, könnte nicht Botschaft für den Menschen sein, und ein Streben des Menschen über sich hinaus, das mit seinem Sein unlöslich verbunden ist, darf ihm als Zeugnis eines Woher und Wohin gelten, die größer sind als er selbst. Doch eingeholt wird der Mensch zu sich selbst nur dort, wo nicht mehr die Gabe von der Not her interpretiert wird, sondern das Geschenk allererst den Beschenkten interpretiert. Genau das aber ist die Weise, wie Bonaventura den anthropologischen Ansatz integriert. Der Mensch ist hin auf den Frieden, aber auf jenen Frieden, der den Begriff übersteigt; er ist hin auf die Einung mit Gott, aber diese Einung mit Gott ist dort noch nicht erreicht, wo sie nur „angemessen" wäre an das, was der Mensch aus seinem eigenen Sich-Transzendieren wünschen und träumen kann. Die Positivität der Gabe, in der Gott unerwartbar und unvorstellbar sich selber gibt, wird zum Maßstab, an dem der Mensch sich selber lesen und sich so mit sich selber identifizieren kann, daß er sich nicht mehr in die bloße Fraglichkeit seiner selbst hinein enträt.

Im selben Grundcharakter des Geschenkes, von dem her der Mensch und das Menschliche im theologischen Ansatz Bonaventuras gewahrt sind, eröffnet sich noch ein *Drittes:* Die Spannung zwischen dem göttlichen Anspruch des Offenbarungswortes und seinem unlöslichen Eingelassensein in die Perspektivität und

Relativität menschlichen Sprechens und Denkens hört auf, bloßes Paradox, bloßer Widerspruch zu sein. Wenn das Offenbarungswort aus der Logik des Geschenkes her verstanden wird, so wird die Notwendigkeit gesprengt, Kerygma und Geschichte auseinanderzureißen, Botschaft und Verheißung bis zum Inhaltlosen zu formalisieren und Glaube allein zum Selbstvollzug der Existenz angesichts seines unsäglich Anderen werden zu lassen. Denn wenn Gott sich schenkt, ist er in seinem Geschenk dort, wo und wie der Beschenkte ist, und geht gerade doch als der je Größere auf, der sich verendlichend nicht weniger absolut, der niedersteigend nicht weniger oben, der sich verständlich machend nicht weniger unfaßbares Geheimnis ist.

Das durch die formalen Bestimmungen „Beziehung" und „Geschenk" eingeführte Spezifikum des bonaventuranischen Modells zeigt durch eine weitere „formale" Bestimmung – dies ein *vierter* Schritt – seine inhaltliche Bedeutung. In der Struktur bonaventuranischen Ansatzes hat doch Gott selbst beim theologischen Denken die konkrete Initiative. Nicht nur das Ziel der seligen Schau ist, in einer eigentümlichen Wendung Bonaventuras gefaßt, contuitus, Mitschauen mit dem Schauen Gottes[30] anstelle einfacher Subjekt-Objekt-Beziehung zwischen Anschauendem und Angeschautem; auch die Theologie geschieht im aktuellen Blicktausch zwischen Gott und dem Menschen: Der Mensch beginnt aufzuschauen zu Gott, findet sich darin aber angeschaut, doch dieses Angeschautsein ist nicht nur Perfekt, sondern Präsens, aus dessen Kraft der Gedanke und sein Weg gelingen. Der Ansatz der Theologie wird so Ansatz Gottes in die Theologie hinein – nicht dergestalt, daß die Theologie insgeheim über Gott verfügen, sich göttliche Qualität anmaßen könnte, sondern indem sie sich ganz und gar angewiesen weiß auf seinen Blick, auf sein Licht. Doch was sagt solche – zugleich fundamentale und je gegenwärtige – Initiative Gottes über Gott? Sie hebt ihn ab von einem bloß statisch-ewigen Seinslicht, von einer bloß aus ihrer Vorausgesetztheit her wirkenden absoluten Substanz, Natur oder Geistigkeit. Der initiative Gott, das ist die eigentliche theologische Differenz, und die bonaventuranische Deutung solcher Initiative geht hin auf den Charakter der Unselbstverständlichkeit, des Je-mehr, des Unerrechenbaren, das solche Initiative bedeutet, somit aber der Liebe. Von hier aus werden Bestimmungen wie Beziehung, Struktur, Geschenk sprechend.

Und – so läßt sich in einem *letzten* Hinblick sagen – von Gott als initiativer Liebe her erhalten die Momente der eingangs gezeichneten Struktur, Oben und Unten, Niederstieg und Aufstieg, Unbedingtes und Anderes, ihre qualitative Färbung. Der theologische Ansatz im Raum zwischen Anrufung und Erleuchtung, Anspruch und Gehorsam, Ruf und Nachfolge ist kein bloßes Durchspielen der Selbstanalyse des Denkens, das sich im höchsten Fall als vom anderen seiner selbst her gewährt und ermächtigt, wiederum zu sich selbst eingesetzt weiß. So bestätigt der Ansatz zugleich von oben und von unten den Charakter von Theologie bei Bonaventura und über ihn hinaus als reflektierte Nachfolge. Sowohl die Strukturmomente als auch ihre qualitative Bestimmung im Modell des Ansatzes sind dieselben, wie sie uns bei der Reflexion auf Nachfolge bereits aufgefallen sind. Weil Nachfolge bei dem anfängt, dem sie nachfolgt, weil sie sich nur von ihm her als möglich und wirklich versteht und weil sie gerade darin die eigene Welt und die eigene Existenz einbegreift, ist letztlich sie die Antwort auf die Frage nach der Vermittlung des Ansatzes von oben und von unten, von Gott und vom Menschen her.

3. Doppelter Ansatz des einen Wortes: Theologie und Philosophie

3.1 Vermischung oder Trennung der Ansätze?

Der invokative Charakter der Theologie läßt sich im Sinne Bonaventuras von ihrem Ansatz nicht trennen. Wie steht es aber dann mit der Philosophie in der Theologie? Ist sie eine allein von außen und oben beanspruchte Hilfswissenschaft, fällt sie aus der inneren Einheit und Stringenz der Struktur theologischen Denkens heraus? Daß die Frage nach dem Verhältnis von Philosophie und Theologie auch eine heutige ist, dessen wurden wir schon gewahr. Auch dessen, daß Bonaventura hier einen eigenen Weg gegenüber Thomas einschlägt. Doch wie gehören nun, vom Ansatz Bonaventuras her betrachtet, theologisches und philosophisches Denken zusammen?

Ein oberflächlicher Blick stößt auf zwei einander widersprechende Befunde. Der eine: die Notwendigkeit der Unterscheidung zwischen Philosophie und Theologie ist Bonaventura geläufig – er bemüht hierfür eine augustinische Formel: „Was wir glauben, schulden wir der Autorität, was wir einsehen, der Vernunft."[31] Der andere: die Totalität seines theologischen Denkens scheint Bonaventura mitunter unversehens zu einem Überspringen der Differenz zu verleiten. Davon gibt es bei ihm zwei konträre Spielarten: Nicht selten wird Philosophisches gut philosophisch abgehandelt, aber die Anrufung Gottes, die Bitte um sein Licht und seine Gnade, der gesamte Kontext stecken dem einen „verfremdend" theologischen Rahmen ab. Umgekehrt erörtert Bonaventura rein theologische Inhalte dergestalt, daß das Glaubensgeheimnis wie eine unabweisliche Konsequenz philosophischen Denkens erscheint. Für die erste Spielart ist allerdings insgesamt – eine Aufrechnung einzelner Gedanken und Positionen im Gesamtwerk kann hier nicht unsere Sache sein – der heilsgeschichtliche Kontext der Philosophie im Sinne Bonaventuras heranzuziehen, der die Frage nach „bloßer" Philosophie abstrakt erscheinen läßt – wir werden hierauf noch zu sprechen kommen. Für die zweite Spielart muß in Anschlag gebracht werden, daß Bonaventura selbst an den herangezogenen Stellen sein Vorgehen reflektiert, darauf hinweisend, daß die von ihm hier angebotene „ganze" Philosophie keine „bloße" Philosophie, sondern deren Integration von oben, aus dem anderen Ursprung des Glaubens her ist.

Philosophie und Theologie sind für Bonaventura also insgesamt keineswegs dasselbe, die eine verdrängt oder ersetzt auch nicht die andere, wohl aber stehen sie in einer konkreten gegenseitigen Zuordnung, die für beide, wenn auch auf verschiedene Weise, konstitutiv ist: Nicht nur ist Theologie ohne philosophische

Implikationen nicht möglich, sondern auch Philosophie ist von sich her in einen Kontext zur Theologie gewiesen, den sie freilich nicht von ihrem Eigenen her aufschließen kann, der wohl aber vom Theologischen her ihr Eigenes aufschließt.

3.2 Einheit und Unterscheidung der Ansätze

Wie lassen sich das Verhältnis von Theologie und Philosophie, ihr Ort und ihre Funktion vom *einen* Ansatz bonaventuranischen Denkens her in knappen Zügen darstellen?

Sowohl Theologie wie Philosophie setzen an bei einer Vorgabe, die nicht in eigene Konstruktion und Aktion aufzuheben ist. Genauer besehen, ist diese Vorgabe selbst jeweils eine Struktur, die drei Momente zugleich umfaßt: Zum einen ist der Inhalt, ist die Sache, um die es im Glauben oder im Denken geht, nicht vom Glauben oder vom Denken entworfen, sondern dem Glauben oder Denken gewährt. Der Seinsbegriff ist für Bonaventura nicht eine Leistung der Abstraktionskraft, der tätigen Vernunft (des intellectus agens) und wiederum – darauf wird später zurückzukommen sein – der Durchstoß vom Sein zu Gott nicht das Resultat nachträglicher Reflexion, vielmehr fängt Philosophie für Bonaventura an mit der Gegebenheit des Seins und mit deren Durchsichtigkeit auf den Ursprung, auf Gott hin[32]. Zugleich aber, und dies ist das zweite Moment, ist im Fall des Glaubens wie in dem des Denkens nicht nur die „Sache", sondern auch die Fähigkeit, die Offenheit zur je eigenen Sache Gabe. Wenn er im Fall der Gotteserkenntnis einerseits ihre Unausweichlichkeit und andererseits die Disproportionalität des Gegenstandes zur menschlichen Kraft betont und eigens die Mitteilung der Kraft erwähnt, die den Menschen fähig macht, Gott zu ertragen[33], so ist man vom Philosophischen her an das theologische Verhältnis zwischen dem unbedingten Anspruch des Offenbarungswortes und dem gnadenhaften, geschenkhaften Glaubenslicht erinnert, das allein den Glauben an dieses Offenbarungswort ermöglicht. Drittes Moment: Sosehr auf beiden Seiten des Glaubens- und Erkenntnisprozesses die Gabe führend ist, sowenig bedeutet dies doch eine

Reduktion der Spontaneität, der Aktivität, der Freiheit des glaubenden bzw. denkenden Subjektes. Nicht nur der Glaube braucht seine Disposition, die Philosophie braucht auch die ihre und braucht sie als Disposition der ganzen Existenz[34].

Die Parallelität zwischen Glauben und Denken, entsprechend zwischen Theologie und Philosophie, die jeweilige Koinzidenz des Ansatzes von oben und von unten ebnet aber nicht den Unterschied zwischen Theologie und Philosophie ein. Die Tiefe und der Sinn dieses Unterschiedes enthüllen sich im Blick auf den genetischen Zusammenhang. Die Gaben Gottes, die Glaube und Denken, Theologie und Philosophie konstituieren, haben ihre Geschichte. Der Sinn des Ganzen, das Ziel des Ganzen werden im Glauben, in der Theologie offenbar: Gott will, über alles Erdenkliche hinaus, sich selber dem Menschen schenken, ihn hineinnehmen in die innigste Einung mit sich. Dieses Ziel läßt sich nicht aus dem Menschsein und seiner Verfaßtheit, aus dem Denken und seinen immanenten Gesetzen herausrechnen, es ist reine Mitteilung, reines Wort der Selbsterschließung Gottes. Und doch „braucht" dieses Ziel seine ihm zugeordnete Voraussetzung: die Gabe Gottes braucht den Empfänger und seine Offenheit zum Empfang. Die höchste Einung mit Gott setzt ein Wesen voraus, das in seiner Konstitution fähig ist, Gott als Gott aufzunehmen, sich auf ihn hinzuorientieren. Offenbarung braucht den Glauben, aber Offenbarung und Glaube brauchen das Organ des Denkens, in dessen Sichtweite der Gott tritt, der in der Offenbarung sein Inneres aufschließen will, auch wenn das Denken selbst nochmals einer besonderen Erleuchtung bedarf, um die *Offenbarung* glauben zu können. So sind Denken und Philosophie, im Ganzen betrachtet, Vorgeschichte von Glaube und Offenbarung, wobei aber die „Geschichte", zu der sie Vorgeschichte sind, das Eigentliche, das Maßgebliche, recht verstanden: das erste ist. Denken und Philosophie als Voraussetzung von Glaube und Offenbarung sind von Anfang an, von ihrer Konstitution her auf dieses Ziel hin zu lesen, nicht aber sind Glaube und Offenbarung nur ergänzender, zufälliger Zusatz. Der ungeschuldete, unselbstverständliche Charakter, der sich mit Größe und Radikalität der Gabe je steigert, kann freilich den Anschein des Nachträglichen erwecken. Dennoch: im Sinne Bonaventuras können Offenbarung und Glaube gerade nicht ins Denken und in die Philosophie hinein integriert werden, sondern der Weg der Integration läuft umgekehrt – und so wird plausibel, wieso bei Bonaventura Philosophie im größeren Rahmen, im umgreifenderen und „früheren" Ganzen der Theologie ihr Recht und ihren Ort hat.

Allerdings ist die gezeichnete Struktur noch nicht die ganze Geschichte der Gaben, die im Verhältnis von Philosophie und Theologie ineinanderspielen. Wir streiften bereits die Bedeutung der Sünde als Entstellung der ursprünglichen Ordnung. Wenngleich in der Folge der Erbsünde nach Bonaventura der Mensch die grundsätzliche Offenheit des Denkens zu Gott nicht verloren hat, so ist doch auch Philosophie, Vollzug des auf sich selbst gestellten Denkens, dadurch betroffen, daß das Denken aus dem lebendigen Verbund von Natur und Gnade herausgebrochen, isoliert ist. Sofern Denken Denken ist, kann es für Bonaventura mit nichts anderem als mit Gott anfangen, auf nichts anderes als auf Gott tendieren. Aber gerade diese Identität des Denkens mit sich selbst ist gefährdet, wo die Disposition des Denkenden beeinträchtigt ist. Das Woraufhin des Menschen, zu dem er liebend, wollend sich verhält, prägt auch die Sehkraft und Sehweise des Denkens. Aufgrund der Sünde hat in der Tat Theologie auch eine „nachträgliche" Funktion für die Philosophie; erst im Kontext der Restitution durch die Gnade holt das Denken seine anfängliche Konstitution wieder voll ein. Das bedeutet nicht Ersatz der Philosophie durch Theologie, aber Klärung der Philosophie und des Denkens durch Theologie und Glaube.

Doch auch abgesehen von der heilenden Kraft der Offenbarung und des Glaubenslichtes fürs menschliche Denken und seinen Zugang zur Wahrheit, kennt Bonaventura eine Vollendung der Philosophie durch das, was dem Denken aus Eigenem, was der philosophischen Bemühung als solcher unzugänglich ist. Wenn Bonaventura philosophische Denkfiguren z.B. bis dahin treibt, daß das Geheimnis des dreifaltigen Gottes als die Vollendung der in Welt und Denken angelegten Vollkommenheit, als die Radikalisierung des vom Denken insgesamt Intendierten erscheint, dann weiß er zugleich, daß solche Konsequenz des Denkens nicht aus diesem selbst, sondern nur aus der Gegebenheit von Offenbarung zu gewinnen ist[35]. Integration von oben, Diskontinuität von unten, solche Diskontinuität aber gerade als Ort des Aufgangs jenes unselbstverständlichen Überschusses, den das Oben schenkt, indem es sich selbst schenkt: dies ist die am Verhältnis von Philosophie und Theologie bei Bonaventura abzulesende Präzisierung seines Modells für den Ansatz theologischen Denkens.

Was über die funktionale Zuordnung von Philosophie und Theologie und über die Bedeutung von Erbsünde und Erlösung für die Philosophie ausgeführt wurde, kann nicht ohne weiteres als ausschließlich oder spezifisch bonaventuranisch reklamiert werden. Typisch für ihn ist jedoch: die parallele Konstitution von Philosophie und Theologie durch einen Ansatz von oben, welcher den Ansatz von unten mitumfängt, ohne daß Philosophie und Theologie aufeinander reduziert werden und ohne daß sie bloß nebeneinander stehenbleiben. Vielmehr wird die der Theologie entsprechende Struktur der Philosophie in jene Ganzheit aufgenommen, die in der Theologie aufgeht und von ihr her das Eigene der Philosophie wahrt, integriert und über sich selbst hinaushebt.

4. Christologischer Ansatz: Ansatz bei der Mitte

4.1 Christus als Mitte, Mitte als Anfang

Unsere Frage nach Bonaventuras Ansatz der Theologie hat eine vielgestaltige Antwort erfahren. Er selbst konzentriert diese Vielgestalt in eine einzige Formel hinein. „Wo muß man anfangen?" Darauf erwidert er sich selbst: „Aus der Mitte, und das heißt aus Christus. Wird diese Mitte außer acht gelassen, so entgleitet alles."[36] Diese Auskunft steht nicht beziehungslos *neben* der bislang leitenden, daß der Ansatz der Theologie Ansatz des Wortes, Ansatz zum Hörer des Wortes, Ansatz zur Kirche hin sei. Vielmehr ist es derselbe Atemzug, in dem Bonaventura beide Fragen stellt und beide Antworten gibt: in der Einleitung zum Hexaemeron. Bereits die Erörterung des Geschehens von Kirche hat uns auf ihre lebendige Mitte, auf das Wort in seiner dreifachen Stellung als Gesetz, Friede und Lob aufmerksam gemacht, und hierbei ging uns auf, daß dieses selbe Wort aus verschiedenem Ursprung und in verschiedener Position das Geschehen zentriert: Wort ganz und allein von Gott her, Wort zwischen uns, Wort aus unserer Mitte hin zu Gott. Diese Stellungen hat Bonaventura auch im Auge, wenn er für das Wort nun Christus selbst einsetzt und aufweist, daß *er* die Mitte und als solche der Anfang theologischen Denkens ist.

Die vielen Bewegungen, die wir, den Ansatz Bonaventuras entfaltend, zugleich in den Blick nehmen mußten, um sein beziehentliches Geschehen nicht zu verfehlen, Abstieg und Aufstieg, Gabe und Anrufung, Erleuchtung und Weg in sein Licht haben einen einzigen Namen, eine einzige Gestalt: Christus. Er ist der, in dem Gott kommt, und er ist der, in dem wir zu Gott kommen. Durch ihn ist uns der Friede angesagt, durch ihn rufen wir den Vater an. Er ist mit seinem Sein, mit seinem Leben, Sterben und Auferstehen der lebendige Ruf zur Nachfolge, ja er ist selbst das Geschehen der Nachfolge, und dies in einem doppelten Sinn: Sein Leben ist vollzogener Wille des Vaters, vollzogene Antwort, und indem er unser Weg wird, indem wir ihm nachfolgen, werden wir umgestaltet in ihn, Nachfolge „macht" uns zum lebendigen Christus.

Solches könnte aussehen wie bekrönende Spekulation, wie Zusammenführen vieler Linien in einen nachträglich erreichbaren Konvergenzpunkt – für Bonaventura ist es der Ursprung schlechthin: Nur in Christus springt Gott über sich hinaus in unsere Wirklichkeit hinein, nur in ihm springen wir über uns hinaus zu Gott hin, nur in ihm kommen wir so zueinander und zur Welt, daß darin der Friede Gottes als Sinn des Miteinander und der Welt entborgen wird. Und so ist diese Mitte in der Tat *der* Ansatz Bonaventuras.

Umgekehrt ist für ihn Jesus Christus aber auch nicht nur ein bloßer Fixpunkt des Glaubens, zweite Person der Dreifaltigkeit plus angenommene Menschennatur, Gottmensch in sich plus Akteur der Erlösung, sondern er ist: Ansatz, Ereignis, sein Sein ist zugleich Geschehen, Weg vom Vater und zum Vater, Übersetzung Gottes zum Menschen und des Menschen zu Gott. Das kommt nicht zuletzt in dem von Bonaventura bevorzugten Titel der ars aeterna, jener Kunst Gottes zum Vorschein, die als Kunst Ursprung, Gestalt und Geschehen in einem ist. Wir können Christus, denkend und glaubend, nicht berühren, ohne von ihm in jene Bewegungen des Lebens und Denkens hineingenommen zu werden, die in ihm sich kreuzen, ja entspringen. Die Ausfaltung des Anfangs bei der Mitte im Hexaemeron[37] macht uns dies deutlich: Die Mitte, die Christus ist, wird von der ewigen Zeugung bis hin zur ewigen Vollendung durch alle Stationen seiner „Geschichte" durchkonjugiert, und die verschiedenen Bereiche des Seins und Wissens werden auf die verschiedenen Positionen dieser Geschichte hin gelesen. Ähnlich wird in De reductione artium ad theologiam das Geschehen geschöpflicher Produktivität und Erkenntnis auf das Christusgeschehen hin gedeutet.

4.2 Unser weiterer Weg mit Bonaventura

Ansatz bei der Mitte als Ansatz bei Christus – dies sprengt freilich den *bloßen* Ansatz in die Durchführung, in den Vollzug hinein. Der Ansatz bei Christus schickt die Theologie auf den Weg des Christusgeschehens, auf den Weg der denkenden Nachfolge und Nachzeichnung dieses Geschehens. Daher wird erst der Blick auf den Gang der Theologie uns voll explizieren können, was die These vom Anfang der Theologie bei der Mitte, die Christus ist, sagt. Dieser Gang seinerseits ist Präsenz der Mitte, Präsenz des Anfangs. Aus dem Anfang bei der Mitte springt die *Logik* der Theologie heraus. Mitte bewährt sich aber nicht nur in der Bewegung, die von ihr aus- und zu ihr zurückfließt, Mitte blickt auf den ihr zugeordneten Horizont, die Peripherie; Mitte ist in dem Maße Mitte, als ihr Integrationskraft eignet. So muß uns nach der spezifischen Logik auch die Integration des Ganzen in einer solchen Theologie beschäftigen. Schließlich darf Mitte nicht nur von außen gelesen werden; Mitte als Ursprung, mehr noch: Mitte als

Mitte des Ursprungs – das heißt in unserem Kontext: Rückbindung der Christologie in die Theo-logie, Christusgeschehen als göttliches, als trinitarisches Geschehen.

Ansatz bei der Mitte, die Christus ist, als Ausgang von dieser Mitte und Mitgang mit dieser Mitte – so wird die Logik der Mitte zur Logik geschehender Nachfolge. Die Integration des Ganzen in der Mitte, die Christus ist – so bewährt sich Nachfolge als Verifikation und Integration des Menschen und der Welt. Erkenntnis der Mitte als Erkenntnis des Ursprungs – so wird Nachfolge offen als Kommunikation des Menschen mit dem Innersten und Eigensten Gottes, mit seinem dreifaltigen Geheimnis.

III.

Die „andere" Logik der Theologie

1. Logik der Produktivität

1.1 Theologische Logik als paradoxe Logik

Wenn das Evangelium seine Identität gerade gewinnt, indem es verändert wird durch die Nachfolge, wenn Mensch und Welt ihre Identität gerade gewinnen, indem sie verlassen und verschenkt werden in der Nachfolge, wenn der reflektierende Vergleich zwischen Evangelium, Mensch und Welt und der Nachfolge nur gelingen kann in einer Reflexion, die selbst in der Nachfolge und als Nachfolge geschieht – dann ist die Logik der Nachfolge eine paradoxe Logik, und also muß paradox auch die Logik der Theologie sein. Es genügt nämlich nicht, im moralischen Appell und in der geistlichen Übung das Paradox der Nachfolge zu betonen, die Inhalte des Evangeliums aber so abzuhandeln, als ob sie subsumierbar wären unter eine geradlinige, „allgemeine" Logik. Andererseits muß das Eigene der theologischen Logik selbst reflektiert werden, wenn Theologie nicht den Anschein der Beliebigkeit, der Ungenauigkeit oder der Unausgewiesenheit erwecken soll. So springt nicht nur aus der inneren Konsequenz des bonaventuranischen Ansatzes der Theologie, sondern auch aus ihrem Grundcharakter als reflektierte Nachfolge die Frage nach der spezifisch theologischen Logik heraus.

1.2 Bonaventuras Einsatz beim Phänomen des Anfangens

Daß die theologische Logik auch bei Bonaventura eine paradoxe Logik ist, darauf weist schon seine These, es müsse mit der Mitte angefangen werden. Diese Paradoxie ist aber, in erster Potenz, bei ihm bereits vortheologisch abgelesen an einer Phänomenologie des Anfangens. Sie ist sozusagen der philosophische Einsatz der Logik Bonaventuras, der sich sodann jedoch durch die Integration in den spezifisch theologischen Kontext steigert und überholt. Um uns in die Denkbewegung Bonaventuras hineinzufinden, um den inneren Komparativ seiner Logik zu ermessen, empfiehlt es sich, nicht vom integrierenden Ende, sondern von diesem ersten Anlauf her seinen Gedanken aufzuschließen.

Phänomenologie des Anfangens, das steht bei ihm einerseits durchaus in der Tradition, die sich zumal auf Augustin und seine Reflexion des Selbstbewußtseins im Zusammenhang der Trinitätslehre bezieht. Und doch nimmt die Radikalität, in welcher Bonaventura diesen Gedanken des Anfangens verdichtet, in etwa jene spekulativen Erörterungen von Geistigkeit, von Selbstbewußtsein voraus, die im deutschen Idealismus sodann systembildend wurden.

Der Rahmen, in dem diese Phänomenologie des Anfangens bei Bonaventura steht, ist unmittelbar die Spekulation über den Logos als die causa exemplaris, das heißt über seine ur- und vorbildhafte Ursächlichkeit für die Schöpfung. Weiter gefaßt, ist freilich das philosophische Denken insgesamt bei Bonaventura – sich darin durchaus auch berührend mit aristotelischen Gedankengängen, wie sie etwa bei Meister Eckhart durchdringen – vom Leitmotiv der Produktivität imprägniert. Einige Beispiele: Die Aufschlüsselung der verschiedenen Künste und Wissenschaften in seiner Reductio konzentriert deren Gang auf ein Schema des Erzeugens und Produzierens; die Hinführung aus den Teilvollkommenheiten der Schöpfung zur umfassenden Vollkommenheit der Trinität geschieht wiederum im Rückgriff auf die unterschiedlichen Arten und Stufen geschöpflicher Produktivität[38]. Zweierlei ist allerdings kennzeichnend an der Weise, wie Bonaventura das ihn mit anderen verbindende Grundmodell des Genetischen und Produktiven ausgestaltet: einmal die spekulative Verdichtung – er setzt jeden einzelnen Schritt so konsequent und genau wie möglich und „verkostet" jeweils seinen Ertrag; zum anderen die Mehrseitigkeit, Gegenläufigkeit seines genetischen Denkens – er denkt den Prozeß sowohl von der Seite der Ursache als auch von der Seite des Verursachten her, dessen Sein als Weiterwirkung und Rückwirkung der Ursache gelesen wird.

1.3 Vermittelnder Zugang: Phänomenologie des Anfangens

Wenden wir uns einen Augenblick lang scheinbar von Bonaventura weg und einer direkten Erprobung des Satzes, man müsse bei der Mitte anfangen, zu. Das verlangt uns die Mühe eines abstrahierenden und minutiösen Gedankenganges ab, der zunächst nur wenig für unser theologisches Interesse zu erbringen scheint, seine aufschließende Funktion aber für Bonaventuras Logik vom Ende her erweisen wird.

Anfang, so könnte man in einem allgemeinsten Sinn sagen, ist Grenze zwischen einem in ihm Entspringenden und seinem Nochnicht. Diese Grenze setzt einen mittleren Punkt in den Verlaufsraum von Zeit, innerhalb dessen Anfang als Anfang allererst erscheint. Wir können, genau genommen, Anfang je nur als mittleren Punkt denken; denn wir denken im Jeweils das Nochnicht, somit aber leere, unerfüllte Zeit voraus. Als Grenze ist Anfang so bereits Mitte.

Diese äußerste Schicht einer möglichen Betrachtung des Anfangs verwandelt und steigert sich, sobald wir von innen her, von dem, was angefangen hat, Anfang zu fassen versuchen. Dies kann freilich nur geschehen, indem wenigstens latent das Modell des Bewußtseins zugrunde gelegt wird, in welchem Anfang als Anfang vorkommt – wenn von diesem Modell aus auch eine Extrapolation auf bloß Vorhandenes möglich ist. Wenn etwas anfängt, im intransitiven Wortsinn, dann springt es ein in seine Identität mit sich; indem es anfängt, fängt es an zu sein, was es ist. Damit aber geschieht eine doppelte Unterscheidung: einmal es unterscheidet sich von anderem – der Anfang ist der Ansatz der Grenze zwischen ihm und dem anderen, Grenze aber als jene Mitte, die es ans andere, das andere an es stoßen läßt und somit es in sein Eigenes hinein konstituiert. Zum anderen: es unterscheidet sich zu sich – was in der Folge geschieht, bezieht sich auf den Anfang nur, sofern es die Entscheidung des Anfangs fortsetzt, entfaltet, variiert, aber – wie auch immer – durchsichtig sein läßt. Der Anfang ist nicht nur Zeitpunkt, sondern auch, ja noch mehr, Mittelpunkt, um den das Folgende sich zentriert, von dem das Folgende zu einer Einheit zusammenwächst. Gerade daran wird verständlich, inwiefern das lateinische Wort für Anfang principium einen nicht nur zeitlichen Sinn hat, sondern auch Prinzip bedeutet; der eigentliche Anfang ist jene Mitte, die sich als das einheitstiftende Prinzip in einem Geschehen, in einem Wesen, in einer Beziehung, in einer Epoche durchsetzt.

Nächste Stufe von Anfangen, die sich freilich im nachhinein genauer als die übernächste erweisen wird: transitives Anfangen, *Etwas*-Anfangen. Wenn ich etwas anfange, dann ist das erste, mich auf dieses Etwas zu konzentrieren, meine Aufmerksamkeit und meine Kräfte aus der bloßen Schwebe, aus der neutralen Zerstreuung heraus auf einen Punkt zu richten: Das will ich, das tue ich. Ich setze also einen Punkt, und auf diesen Punkt streben nun meine zum Anfang benötigten Potenzen zusammen. In diesem Punkt meiner Konzentration aber geschieht etwas Merkwürdiges: dreifache Mitte. Einmal finde *ich selbst* meine Mitte. Anfangend, mich auf meinen Anfang konzentrierend, bin ich „da". Wer nicht ganz „da" ist, kann nicht anfangen. Sodann aber ist genau in diesem Punkt meines Daseins auch die Mitte gesetzt, aus welcher das von mir *Angefangene* als dieses Unterscheidbare und Entschiedene aufgeht, meine Konzentration konzentriert es zu sich selbst; die auf der zweiten Stufe von uns gezeichnete innere Mitte des intransitiv Anfangenden berührt sich mit der Mitte meines transitiven Mich-Zusammennehmens zum Anfangen. Damit aber ist der Anfang in einem dritten Sinn Mitte: als meine, des Anfangenden, Mitte und als Mitte des anderen, des Anzufangenden, ist der Anfang Mitte *zwischen mir und meinem anderen:* in dieser Mitte, die mich und mein Anzufangendes voneinander abgrenzt, geschieht zugleich ein Überspringen, ein Hinüberreichen des beiden ineinander. Was ich anfange, muß in mir sein, damit wirklich *ich* es angefangen habe und es mir nicht nur widerfahren ist: das andere in mir. Ineins damit bin aber auch ich in dem, was ich anfange;

denn andernfalls habe nicht eigentlich ich das angefangen, was da losgeht. Es trägt an seinem eigenen Sein meinen Plan, meine Idee, zumindest mein „Schuldsein" daran, daß es ist. Anfang ist Mitte, die mich und das andere je in sich entscheidet und uns voneinander unterscheidet und die zugleich uns ineinandersetzt.

Phänomenologie des Anfang-Seins

Wie schon angedeutet, impliziert solches transitive Anfangen eine bislang übersprungene Stufe: transitiv anfangen kann nur ein Wesen, das in sich von der Wesensart des Anfangs ist, das im strengen Sinn Prinzip ist, das sich je schon gehört, schon bei sich ist – ohne solches wäre die Konzentration des Sich-Zusammennehmens, des Sich-Sammelns, eben: des Anfangens nicht möglich. Die Stelle, an der dieser Charakter des Anfang-Seins zum Tragen kommt, ja für uns selbst erst sichtbar wird, ist allerdings das transitive Anfangen.

Lesen wir die Konstitution unseres eigenen Anfang-Seins an diesem springenden Punkt des transitiven Anfangens ab. Wenn ich anfange, nehme ich nicht nur einfachhin meine Kräfte, meine zerstreute Aufmerksamkeit zusammen, um mich auf den Anfang zu konzentrieren; ich nehme mich selbst, etwas anfangend, in die Mitte zwischen mich und mich. Ich bleibe meinem Anfang als Anfangender voraus, und diesen meinen Standpunkt, als in mein eigenes Anfangen hinein aufbrechend, bekomme ich nie hinter mich; ich bin je der Voranfängliche, auch und gerade dann, wenn ich alsdann etwas anfange und hernach es angefangen habe. Rein zeitlich: Ich bleibe einer, der dies angefangen hat, kann diese meine Vergangenheit, kann mich als Voraussetzung meines Anfangens nicht von mir abstoßen. Fundamental: Ich als Quelle gehe nicht dahinein auf, bloß mir entsprungen zu sein. Zugleich aber entwerfe ich, etwas anfangend, nicht nur etwas, sondern mich, mich als einen, der durch diesen Anfang bestimmt ist, mich als einen, der dieses oder jenes wollend sich so oder anders will. Ich bin meine eigene Zukunft, bin sie aus mir her, und der Anfang ist die Mitte zwischen mir als meiner nie verfügbaren Ursprünglichkeit, meinem von mir selbst nicht eliminierbaren Herkommen aus mir selbst *und* meinem Seinwerden, das von mir, von meiner Herkunft, die ich selber bin, ausgeht und sie zu sich bringt. Diese meine Zukunft, dieses mein Seinwerden geht aber nicht nur von mir als Herkunft, sondern sie geht auch von dem Anfang aus, der die Mitte ist zwischen mir als Herkunft und mir als Zukunft. Bin ich dann aber durch mein Anfangen fremdbestimmt? Keineswegs. Denn was ist dieser Punkt meines Anfangens? In seiner Tiefe gelesen, bin ich es selbst, ich als der, der sich widerspiegelt und in solcher Spiegelung seine eigene unverfügbare Herkunft als die Offenheit seiner eigenen Zukunft gewahrt: ich kann so und so sein, ich will so und so sein, indem ich will, daß dies oder jenes sein wird.

Ich bin also in dreifacher Stellung da in meinem Anfang: da als reiner Ursprung, hinter den, sofern ich Ursprung bin, nicht zurückzukommen ist; da als das lichte Vermögen des Entspringens, ohne welches Vermögen ich gar nicht Ursprung wäre, als Gegenübersein zu mir, als Gegen-wart, worin meine Ursprünglichkeit für mich selbst erst aktuell ist und zugleich zur Potenz wird, zur Offenheit und Fähigkeit über mich hinaus; da schließlich als die in solcher Gegen-wart, in solcher Helle anvisierte Zukunft meiner selbst, die aber nicht bloßes Resultat ist, sondern der abschließende, vollendende Konvergenzpunkt meiner mit mir, auf den hin ich *in* meiner Helle, meiner Gegenwart mich selbst so und so entschließe und entscheide.

Meine Gegenwart, meine Helle, die mich als Ursprung zu mir als dem, der ich sein werde, vermittelt, ist die eine Mitte meiner selbst zu mir und zu meinem anderen hin, will sagen: Mitte des Weges meines Ausgangs von mir und meiner Rückkunft auf mich, Mitte also in Richtung auf die mich in mir beschließende und mein Beimirsein vollendende Re-flexion, aber auch Mitte meines möglichen Weges zum anderen, meines Anfangens von etwas, Mitte also auf dem Weg meiner das andere seinlassenden Pro-flexion. Ein zweifaches Mißverständnis muß hier ausgeschlossen werden. Das eine: Herkunft, Gegenwart, Zukunft, das ist ein zeitliches Modell, wie es sich aus meiner Existenz in der Zeit und erst recht aus meinem Etwas-Anfangen in der Zeit her nahelegt. Die Grundverhältnisse: ich als von mir ausgehend, ich als in mir selbst mir gegenüber, ich als das beide Positionen vermittelnde, ihre Identität gewährende Woraufhin meiner selbst: solches wird nicht erst durch einen zeitlichen Prozeß, durch eine zu meinem Dasein nachträgliche und zu-fällige Aktivität gesetzt; es ist vielmehr die jeden Augenblick schon geschehene und weiter geschehende Geschichte, die ich bin, indem ich meine Geschichte habe. Da ich freilich nicht reiner, sondern entsprungener Ursprung bin, erhält die Zeitlichkeit der Geschichte, die ich bin, ein Eigengewicht, das die Momente meines Beimirseins, sosehr sie meiner Geschichte je vorausgesetzt sind, dennoch in die Differenz, in die Krisis zwischen Vergangenheit, Gegenwart und Zukunft spannt: Ich bin nicht ganz bei mir gegenwärtig, nicht ganz mir zur Verfügung, nicht ganz in die Helle meiner selbst, nicht ganz in die Mächtigkeit zu meinem anderen gesetzt, ich bin noch nicht ganz, ich bin nicht ganz, was ich sein werde, meine Zukunft, auf die hin ich mich entwerfe und die mich mir zuentwirft, ist mir nicht ganz präsent, ist nicht ganz entschieden – und so wird meine unverfügbare, voranfängliche Ursprünglichkeit mir selbst nicht nur zum Quell der Freiheit, sondern zur nachträglich zu übernehmenden Verfügung. Dieses „nicht ganz" heißt aber zugleich, ja von seiner Wurzel her: ich bin nicht allein, nicht ausschließlich die Bedingung und die Gewähr meiner Gegenwart und meiner Zukunft, wie ich eben auch nicht aus mir her, sondern allein aus meinem Entsprungensein Ursprung bin. Dennoch ist es möglich und legitim, die Momente meines Selbstseins aufs darin intendierte reine Ursprungsein und Anfangsein hinzulesen.

Zweites Mißverständnis, das mit dem ersten unmittelbar zusammenhängt: Wir wurden der Momente unseres Anfangseins am Vollzug des zu diesem Anfangsein je nachträglichen Etwas-Anfangens gewahr. In der Tat bin ich, als zeitlicher Ursprung nur Anfang, indem ich zugleich etwas anfange – was nicht jeden Augenblick eine bewußte Aktivität, einen verantworteten Entschluß meint. Dennoch wäre es sowohl im Blick auf den Menschen als auch erst recht im Blick auf unbedingte Ursprünglichkeit ein Mißverständnis, das Etwas-Anfangen, die vollzogene Wendung nach außen, zur Bedingung oder auch nur zur notwendigen Konsequenz des Anfangseins zu erklären.

Anfangsein und Anfangen

Hier muß jedoch eine weitere Reflexion einsetzen, die bislang miteinander Vermischtes scheidet. Wir sprachen vom transitiven Anfangen – und um dieses geht es in der Folge – wie von einem einzigen Akt, der in unserer Konzentration auf uns selbst und darin zugleich auf unser Anderes dieses bereits setzt. Näher betrachtet, umschreibt aber der Konzentrationspunkt „Anfang" eine ganze Geschichte. Ihr erster Akt ist mein Anfangsein, genauer: ist das Ereignis jener Mitte, die mich in den Rückgang zu mir und in den Ausgang zu meinem Anderen grundsätzlich öffnet, die mich von einem möglichen Außerhalb allererst scheidet. Erst in dieser Mitte kann ich sagen „ja ich" und fragen „nur ich?". Doch in solcher Frage ist bereits ein Zweites geschehen: mein Sein ist mir als mein Können aufgegangen. Darin fällt mir etwas ein, was ich tun, was ich wollen kann. Es fällt mir ein von außen, wie es scheint, aber es könnte mir gar nicht von außen einfallen, wenn es nicht schon zum Horizont meines Innen, meines Selbst gehörte. Die Frage, ob und wie in endlicher Ursprünglichkeit ein Außen Anstoß des Einfalls einer Möglichkeit sein muß, kann hier außer Betracht bleiben. Jedenfalls aber wird mein Anfangsein mir als Möglichkeit meines Anfangens nur dadurch gewahr, daß sich in mir ein Verhältnis zu mir, zu dem, was ich bin, zu meinem Anfangsein begibt. Indem ich Anfang bin, indem die darin beschlossenen Momente meines Selbstseins, die wir diskutierten, sich zueinander verhalten, verhalte ich mich – reduplikativ, noch einmal – zu ihnen, und erst darin wird mein Sein mir als meine Möglichkeit nach außen sichtbar. Diese Sichtbarkeit, der Einfall meiner Möglichkeit, durch die mein Sein mir zugleich als Fähigkeit des Anfangens erweckt ist, bedeuten aber gerade noch nicht das Anfangen, sondern setzen mich ein weiteres Mal ins Verhältnis zu mir und zu der in meinem Sein beschlossenen Möglichkeit: will

· ich, und was will ich? Wenn ich als fähig zu meinem Anderen und mein Anderes mir als möglich präsent sind, dann ist zwar unweigerlich mein Wollen im Spiel; denn ich verhalte mich zu meiner Möglichkeit und entscheide eo ipso, ob ich diese Möglichkeit oder jene, ja ob ich überhaupt eine oder gar keine ins Werk setze; auch der Verzicht aufs Anfangen, auch das Nichts-Anfangen ist insofern ein Etwas-Anfangen, weil es eine Position zu meinem mir möglichen Etwas darstellt.

Doch gerade hier hat sich der entscheidende Sprung begeben, der aus der Konzentration meines Selbstseins in seinem Wie nicht ableitbar, in seinem Daß aber ernötigt ist. Wie auch immer ich mich entscheide, ich entscheide meine Möglichkeiten; ob ich sie ins Werk setze oder als bloße Möglichkeit zurückhalte, und welche meiner Möglichkeiten ich ins Werk setze oder zurückhalte, dies ist mein je fälliger, je unselbstverständlicher Entscheid – und diese Unselbstverständlichkeit des Entscheids nimmt nicht ab, sondern zu, wo sich Ursprünglichkeit, Anfangsein zu reiner Ursprünglichkeit, zu absolutem Anfangsein steigert. Die an sich hier noch einzuführende Differenzierung zwischen dem Anfangenwollen und dem tatsächlichen Anfang, die in der Konstitution endlicher Ursprünglichkeit grundgelegt ist, sei nur noch erwähnt, aber nicht mehr entfaltet; unsere Phänomenologie des Anfangens ist ja nicht um ihrer selbst willen, sondern im Blick auf Bonaventura geschrieben, für dessen Logik die Logik des unbedingten, des schöpferischen Anfangens die entscheidende Funktion hat.

Wir sind ausgegangen von Bonaventuras These, der Anfang liege bei der Mitte. Die Phänomenologie des Anfangens wies uns darauf hin, daß Anfang als Zeitpunkt und Anfang als Prinzip eines intransitiv Anfangenden Mitte sind; daß im transitiven Anfangen der Anfang Mitte des Anfangenden in sich, des Anzufangenden in sich und scheidende und verbindende Mitte des beiden miteinander ist; daß transitives Anfangen ein Wesen, das selber Anfang ist, voraussetzt, daß Anfangsein aber heißt, sich als Mitte in sich zu tragen; daß schließlich geschehender Anfang die konzentrierende Mitte des Anfangenkönnens, als diese konzentrierende Mitte aber ein aus diesem Können unableitbarer Sprung ist. Bonaventuras These löst sich im Hinblick aufs Phänomen also ein.

1.4 Bonaventuras Grundformel für die Logik der Produktivität

Bonaventuras Logik ist, in ihrer ersten, „philosophischen" Potenz betrachtet, Logik der Produktivität. Den Bestand des Seienden, den er bedenkt, hebt er in seinen genetischen Zusammenhang, und der Schlüsselbegriff hierfür ist eben der des Anfangs. Dies erhält besonders scharfe Kontur, wo Bonaventura – im Durchkonjugieren der Mitte, die ihm Christus ist, durch die unterschiedlichen Bereiche von Wissenschaft – die Metaphysik christologisch zu fundieren sucht[39]. Die Frage, die ihn bewegt: Wie läßt sich das Sein des Vielen, was ist, auf seinen Zusammenhang hin, auf seinen einen Ursprung und sein eines Ziel hin lesen? Und seine Antwort: von der einen Mitte her, die sich in allem abbildet. Doch das Urbild, die causa exemplaris, ist für ihn nicht einfach eine stabile Idee, sondern sie ist selber Weg, geschehende Mitte, Vermittlung. Christus wird *als* das Urbild der Schöpfung verstehbar, indem seine innertrinitarische Zeugung und der Zusammenhang dieser Zeugung mit der Offenheit Gottes über sich selbst hinaus, mit der Möglichkeit Gottes zu seinem Anderen durchsichtig werden.

Das Verstehensmodell, das Bonaventura heranzieht, ist das einer ins Absolute und Trinitarische hinein gesteigerten Phänomenologie des Anfangs. Der trinitarische Gott wird als der lebendige Anfang, sein Sein als Anfangsein expliziert. Der unlösliche Zusammenhang von Sein aus sich, Sein sich selbst gemäß, also in Entsprechung zu sich, Helle für sich, und Sein um seiner selbst willen, auf sich selbst zu – wie er nach Ausweis unserer phänomenologischen Reflexion das Selbstsein charakterisiert – wird von Bonaventura ausdrücklich gemacht und auf den trinitarischen Gott zu gelesen: „Sein aus sich, das meint: Sein als entspringenlassender Ursprung; Sein sich gemäß, das meint: Sein als maß-gebender, ur-bildender Ursprung; Sein um seiner selbst willen, das

72

meint: Sein als voll-endender, abschließender Ursprung. Das heißt Sein als Ursprung, Mitte und Ziel oder Ende. Der Vater ist als entspringenlassender Ursprung, der Sohn als urbildende Mitte, der Heilige Geist als abschließende Vollendung."[40]

Ursprung, Mitte, Ziel: solche Charakterisierungen der trinitarischen Personen lassen Trinität selbst als Geschehen, als „Geschichte" verstehen. Diese drei Bestimmungen entsprechen jeweils zwei anderen, die eine drückt in präpositionaler Wendung den trinitarischen Selbstbezug, die andere in verbaler Wendung die je eigentümliche Gangart der Ursprünglichkeit aus. Aus sich: das ist Kennmal der reinen Ursprünglichkeit, die keinen Rückverweis auf anderes duldet, ihres Anfangseins, das keinen Anfang und kein Endesein hinter sich hat, sondern unrückführbares Anfangen besagt. Dem entspricht eben das Verb „originare", entspringenlassen. Sich gemäß, lateinisch secundum se: das drückt die Parallelität, die „zweite" Stelle aus, die aber nicht Nachträglichkeit, Subtrahierbarkeit, Trennbarkeit meint, sondern jene Grenze, jene Bestimmtheit, in der das Entspringenlassen je schon eingeholt, in solcher Einholung sich selbst gegeben, aber zugleich als mögliche Gabe nach außen gegeben ist. Das entsprechende Verb heißt hier exemplari, ausdrückend vorbilden; Gestalt als Geschehen, Gestalt als den Ursprung fassen und ihn zugleich mitteilen, die Mitte von Nachgestalten und Vorgestalten also kommt hier zum Vorschein. Um seiner selbst willen: Wegwendung des Ursprungs wird hier als unverlierbare Rückwendung auf sich selbst, Öffnen als Sich-in-sich-selber-Schließen, Ausgang als je schon Erreichthaben des Zieles offenbar. Die zugehörigen Verben (finire, terminare, zum Ziel führen, beschließen) drücken den Rücklauf des Geschehens in sich selbst und zugleich seine höchste Steigerung in sich selbst aus.

Liest man diese Bestimmungen zusammen, dann wird eben jene Koinzidenz von Selbstbesitz und Selbstgabe sichtbar, deren Mitte dieselbe „Gestalt", anders gewendet, dasselbe „Wort" ist, die nichts anderes sagen als den Ursprung und gerade darin sein Anderes, das den Ursprung nicht mindert und ihm nichts hinzufügt, sondern seine Fülle zugleich darstellt und verschenkt.

Bonaventura bleibt hier aber nicht stehen. Es genügt ihm nicht, den immanenten Kreislauf von Selbstbesitz und Selbstgabe zu bedenken und dahinein die metaphysische Öffnung zum möglichen Anderen einzutragen; er wendet sich noch eigens diesem Geschehen der Öffnung zu, die „Logik" dieser Öffnung, ihr Paradox herausstellend, in welchem Selbstsein und Werden des Anderen, Nichtsgewinnen und Nichtsverlieren auf der einen Seite und Neueseröffnen auf der anderen, reiner Ausdruck göttlichen Selbstseins und ineins umfassender und integrierender Ausdruck der ganzen Schöpfung einander begegnen. Für diesen Vorgang, für dieses Geschehen, für diese Logik entwirft er eine Formel, die vielleicht als die kühnste und dichteste der gesamten trinitarischen Schöpfungsspekulation gelten darf. Die Momente und Schichten, die unsere phänomenologische Analyse von Anfangsein und transitivem Anfangen aufdeckten, kehren hier in gedrängter Gestalt wieder. Diese Formel ist einerseits metaphysischer Ausdruck, andererseits „Erzählung" trinitarischer Geschichte als Vorgeschichte der Schöpfung: „Der Vater zeugte von Ewigkeit her den Sohn, sich gleich, und sagte sich und sein sich gleiches Gleichbild und mit diesem sein ganzes Können; er sagte, was er schaffen könnte, und zumal, was er schaffen wollte, und drückte alles in ihm aus, im Sohn nämlich oder in dieser Mitte, als in seiner Kunst."[41]

Diese Formel läuft in vier Phasen. Die *erste* enthält die Grundaussage in erzählender Unmittelbarkeit: Der Vater zeugte von Ewigkeit seinen Sohn, sich gleich. Die beiden „metaphysisch" anmutenden Bestimmungen „von Ewigkeit" und „sich gleich" dienen der Unterscheidung bzw. Identifizierung des Vorgangs selbst.

Die *nächste* Phase schließt mit „und" an, ist dem Inhalt nach aber die Auslegung der im berichteten Vorgang unmittelbar enthaltenen Bestimmung: Im Sohn sagt der Vater in einem zwei, er sagt sich und er sagt den Sohn, aber der Sohn selber sagt eben, sich selber sagend, nichts anderes als den Vater, er ist das ihm gleiche Gleichbild. Diese unbedingte Identität und Beziehung von Entspringen der Gestalt und Bleiben in der Reinheit unbedingter Ursprünglichkeit ist die Voraussetzung, damit auch das andere, was die Aussage dieser zweiten Phase abschließt, in den Blick treten kann: Mit diesem, mit dem Sohn, der nicht vom Vater wegführt, sondern rein ihn zur Gegebenheit bringt, ist zugleich doch das Hinausreichen Gottes über sich selbst – nicht als ein Ernötigtes, sondern als reine Fülle und Freiheit, als pure Mächtigkeit (posse) – mitgesagt.

Hier aber setzt die *dritte* Phase ein; sie enthält die innere Geschichte, weil Steigerung, die in diesem Können, in dieser Mächtigkeit umfangen ist: Der Vater sagt, was er schaffen kann – Auslegung der Mächtigkeit auf ihr Wozu –, und er sagt „vor allem", wie Bonaventura betont, was er schaffen *will*. Das Können, die Mächtigkeit ist Freigabe des Verhältnisses des Ursprungs *zu* seiner eigenen Mächtigkeit und somit Grund der Ermöglichung der nicht notwendigen Geschichte des Nichtnotwendigen, Freigabe der Schöpfung. Die Steigerung, die Wendung zur Positivität des Unableitbaren, dies muß uns im Ohr bleiben; denn hier kündigt sich der innere „Überschuß" einer Logik der Produktivität über das hinaus an, was ihre eigenen strukturalen Momente an sich selbst und allein ablesen lassen.

In einer abschließenden *vierten* Phase nimmt Bonaventura die beunruhigende Steigerung scheinbar wieder in den reinen Gleichklang zurück. Doch der Name dieses reinen Gleichklangs, der Name „Kunst" ist geeignet, die Koinzidenz des Notwendigen mit dem Unselbstverständlichen, des Paradoxen mit dem absolut Stimmigen auszudrücken – noch einmal hat ein großer Denker Kunst gerade so, gerade als die Einheit und Gleichung von Notwendigkeit und Freiheit gefaßt, der junge Schelling in seinem System des transzendentalen Idealismus. Der Inhalt dieses Gleichklangs: Alles ist ausgedrückt in dieser einen Gestalt, in ihrem einen Ereignis, im Sohn als der Mitte Gottes zu sich und zu seinem Anderen, im Sohn, der das Hinausreichen Gottes zu seinem Anderen und das Hineinreichen des Anderen in Gestalt der reinen Mächtigkeit ins Eigenste Gottes zugleich darstellt und dies nicht als zweierlei darstellt.

Solche Logik der Produktivität ist Logik des Paradoxes, daß reines Sich-selbst-Gehören und Sich-selbst-Übersteigen dieselbe

Formel finden, dieselbe Mitte haben, jene dynamische Mitte, die Gleichgewicht und Steigerung in einem ermöglicht. Was freilich das Steigernde, das konkret in Gang Bringende, somit das innerlichst Bewegende und zugleich ins geschehende Außen Drängende und Sprengende sei: dies kommt auf der Ebene metaphysischer Logik der Produktivität noch nicht zum Vorschein. Diese muß, um ihre eigene Tiefe zu lichten, zur Logik der Liebe werden.

2. Logik der Liebe

2.1 Der innere Überschuß von Produktivität: Interesse

Gott „will" unableitbar das Andere, das er in seiner „Mitte", in seinem Sohn erschaut. Dieses Wollen ist ebenso auslösende Bedingung schöpferischer Produktivität wie Überstieg über eine bloße Logik der Produktivität, sofern diese von ihrem Woher, vom Ursprung und seiner Konstitution als Ursprung her gelesen wird. Die Grundfrage, die gestellt werden muß, um das *Ganze* der Produktivität, das Mehr der wirklichen Schöpfung gegenüber der bloßen Mächtigkeit und Möglichkeit zur Schöpfung einzuholen, lautet: Was bewegt den Ursprung zur *Konkretion der Möglichkeit*, was bewegt ihn zum Seinlassen von Anderem und darüber hinaus gar zum Sicheinlassen auf Anderes, zur „Geschichte" seines Anderen und mit seinem Anderen?

Ehe Bonaventuras Antwort auf diese Frage erhoben wird, muß nochmals auf die Logik der Produktivität zurückgeblickt, muß sie um einen weiteren Schritt ergänzt werden. Bislang war die ars aeterna, war der Sohn als Idee und je schon wirkliche Möglichkeit des Anderen aus der Aktivität des Ursprungs her in den Blick gekommen, er hat sich als Mitte vom Ursprung her gezeigt, wenn dieses Mittesein auch das Hineinreichen des möglichen Anderen in den Eigenraum der göttlichen Ursprünglichkeit mitumschließt. Bonaventura meint es mit der Mitte, die Christus ist, jedoch philosophisch bereits so ernst, daß er das Phänomenfeld erweitert, um Mitte als Mitte zweier sich *begegnender* Produktivitäten, um Mitte als Mitte aus doppeltem Aufgang denken zu können, und dies so, daß durch solche Gegenseitigkeit die Einzigkeit des unbedingten Ursprungs gerade nicht geschmälert, sondern gesteigert wird. Die Logik der Produktivität läuft auf diesem Niveau in *zwei* Richtungen. Die Möglichkeit des Anderen wird nicht mehr nur von der sich in sie auslegenden Ursprünglichkeit, sondern auch vom ermöglichten Anderen selbst her gelesen.

Diese Erweiterung des Phänomenfeldes hat in ihrem theologischen Kontext freilich den Einstieg in die Positivität geschehender Schöpfung, ja mehr noch: geschehender Heilsgeschichte zur Folge. Wie darin insgeheim doch bereits die Logik der Liebe am Werk ist, wird sich im nachhinein zeigen.

Doch sehen wir einmal zunächst vom theologischen Kontext ab und auf ein – den Grundverhalt bespielhaft veranschaulichendes – Phänomen hin, an welchem Bonaventura sodann die theologische, näherhin heilsgeschichtliche Exemplarität der Mitte Christus aufdeckt[42]: Wie kommt *Sinnenerkenntnis* zustande? Bonaventuras Antwort: Der Gegenstand erzeugt, indem er ist, zugleich sein Wahrnehmungsbild. Sein und In-Erscheinung-Treten sind eines und dasselbe, eines und dasselbe aber in einer genetischen Bewegung, welche die Pole „Sein" und „Erscheinung" unterscheidbar und gerade solchermaßen den Gegenstand, der zugleich ist und erscheint, unterscheidbar macht. Das Erscheinen aber – und in ihm das Sein – ist ein Hinsein auf Anderes, ein Drängen nach außen, um im Außen sich zu sich einzuholen, will sagen: um im Außen sich zu bewähren: Was erscheint, „will" als es selbst erscheinen, als es selbst aufgehen; die Momente des Aus-sich (als Ursprung), Sich-gemäß (im Wahrnehmungsbild) und Um-seiner-selbst-willen (Aufgehenwollen als es selbst) sind auch hier gewahrt. Doch damit Erscheinen gelingt, bedarf es eines Weiteren: des wahrnehmenden Organs, das von außen und im Außen das Erscheinungsbild empfängt und dieses Erscheinungsbild auf seinen Ursprung zurückführt, ihn als diesen Ursprung erkennt und bestätigt. Um es aus der Logik des Gegenstandes und nicht aus der immanenten des Erkenntnisorgans zu sagen, die sich jedoch mit der ersten im Sinne Bonaventuras mühelos verschränken läßt:

Damit dies geschehen kann, muß das Wahrnehmungsbild in die Sinnlichkeit des Wahrnehmenden eintreten, sich mit seinem Organ verbinden, sich in ihm als die eigene Leistung dieses Erkenntnisorgans inkarnieren, aber gerade so inkarnieren, daß diese Leistung nicht als bloßer Entwurf, als bloße Fantasie, sondern als Empfangen des vom zu erkennenden Ursprung Ausgesandten erkannt wird.

Solche „Inkarnation" des Wahrnehmungsbildes im wahrnehmenden Sinn bewirkt nun die Rückkunft des Ursprungs aus dem wahrnehmenden Außerhalb zu sich selbst. Der Ursprung wird sich selber aus anderem Ursprung zurückgegeben, er gibt zugleich sich selbst zurück, und er führt sein Anderes zu sich hin. Dies alles aber geschieht kraft der Selbigkeit des Wahrnehmungsbildes in seiner vielfältigen Herkunft: als ausgehend vom erscheinenden Ursprung und als ausgehend vom erkennenden Ursprung, als „Leistung" des erscheinenden Ursprungs, als dessen Geschenk, als Leistung des erkennenden Ursprungs und sogar in letzter Konsequenz als dessen Geschenk an den erscheinenden Ursprung, der so gerade identifiziert, verifiziert wird. Dieses Wahrnehmungsbild ist die Mitte des ganzen Geschehens, der Knotenpunkt der doppelten Ursprungsbewegung, ihre Vermittlung – zugleich aber damit ihr Anfang; denn nur im erscheinenden Ausgang des Ursprungs *in* diese Mitte kommt das ganze Geschehen überhaupt in Gang. Die „Paradoxität" oder – bonaventuranischer – das Wunderbare, die Kunst, daß das eine und selbe Bild der Selbstvollzug des Erscheinenden und des Erkennenden ist, dies ist die Achse der Logik auch des Erkennens, wie hier am Modell des sinnenhaften Erkennens dargetan wurde.

Und nun Bonaventuras Sprung ins christologische Urbild: „Auf diese Weise erkenne, daß vom höchsten Geiste, der den inneren Sinnen unseres Geistes erkennbar ist, ewig das Ebenbild ausgeht, das Bild ist und Sohn; und daß jener hernach, als die Fülle der Zeit kam (Gal 4, 4), sich einte dem Geist und Fleisch und Menschengestalt annahm, was vorher niemals geschehen war, und daß durch ihn der Geist eines jeden, der jenes Ebenbild des Vaters durch den Glauben im Herzen aufnimmt, zurückgeführt wird zu

Gott."[43] Derselbe Sohn, der vom Vater ausgeht, kehrt von uns aus, von seiten der Menschheit aus, ja aus dem Herzen des Glaubenden, der im Glauben Jesus Christus „mitvollbringt", zum Vater zurück. Wir dürfen uns hier zurückerinnern an die Position, die das Wort Gottes als Lobpreis einnimmt: aufgehend und zurückgegeben aus der Ursprünglichkeit der sich und das Wort verdankenden Gemeinschaft der Kirche[44]. In solcher Zweiursprünglichkeit, im Interesse des Ursprungs, sich aus seinem Anderen zu empfangen und mehr noch: dieses Andere zu sich selbst zurückzuführen, klingt Interesse überhaupt, somit aber jene Dimension an, in welcher Liebe als Liebe verstehbar wird.

2.2 Drehung vom Woher zum Wohin

Die Logik der Liebe steht für Bonaventura nicht unverbunden *neben* oder als zusätzliche korrektive Reflexion *nach* der Logik der Produktivität, sondern *in* ihr. Um die Identität und die Differenz beider „Logiken", um somit aber den Ur-sprung der Logik der Liebe überhaupt in Sicht zu bekommen, setzen wir nochmals in neuer Gangart die Schritte des Ursprungsgeschehens auseinander. Bislang lasen wir dieses Geschehen von seinem Woher, vom Ursprung. Doch diese Bewegung erschließt eines gerade nicht: die Un-selbstverständlichkeit des Wohin. Genauer betrachtet, fängt solche Unselbstverständlichkeit nicht erst dort an, wo das Nichtnotwendige in seinen nichtnotwendigen Anfang tritt, wo also Schöpfung geschieht. Auch das Notwendigste und Innerste des Ursprungsgeschehens, des Anfangseins, selbst trägt den Charakter des Unselbstverständlichen, der sich bei Bonaventura in Bewunderung und Lobpreis durchsetzt, die überall dort seinen Denkstil bestimmen, wo er das Geheimnis Gottes, seines dreifaltigen Lebens und seiner Hinneigung zum Anderen bedenkt.

Daß ich mich je schon zur Gegen-wart für mich gebracht habe, daß ich aufgebrochen bin in die Helle meines Bei-mir-Seins, ist ein Angezogensein meiner von mir, ist ein ursprüngliches Ja zu mir, ein Urinteresse an mir: Indem ich zu mir ausgehe, geht es mir um mich. Dieser Zug ist das Auslösende des Ur-sprungs, die-

ser Zug das eigentliche Urdatum, hinter das ich nicht zurück-
komme und das meine nicht aufgebbare Ursprünglichkeit und
Anfänglichkeit konstituiert, konstituiert freilich nicht von rück-
wärts als eine Voraussetzung *vor* meiner Ursprünglichkeit. Mein
erstes Mich-Bewegen ist, nicht im Sinn einer passiven Determina-
tion, sondern als der „appetitus", als die Dynamik, eben als der
Ur-sprung, der ich selber bin, das Bewegtsein, Angegangensein
von mir. Und so ist auch der in meiner ursprünglichen Helle für
mich selbst offene Horizont meines Anderen auf die Weise des
Bewegenden, des appetitus in mir, der wiederum nicht Fremdbe-
stimmung, sondern Fülle der Selbstbestimmung darstellt: die
Möglichkeit meines Anderen ist Präsenz von etwas, um das es mir
gehen kann, um das ich es mir gehen lassen kann, indem es mir
um mich selber geht. Der nicht daraus ableitbare, nicht notwendige Sprung, zu dieser Möglichkeit ja zu sagen, sie an sich frei,
ins Werk, in die Wirklichkeit zu setzen, erhält seine Verständlichkeit gerade dann, wenn ich meine Ursprünglichkeit in der Richtung ihrer Offenheit, in der Richtung ihres Woraufhin lese.

In einer Logik des Woher steht der Entschluß zum konkreten
Anfangen, zum konkreten Überstieg ins Andere als bloßes Fak-
tum neben der Faktizität meines Ursprungseins und Anfangseins
an sich. Die Logik als Logik weiß mit diesem Entschluß nichts anzufangen, sie kann ihn nur rechtfertigen als mit meiner Ursprünglichkeit verträglich. Eine Logik des Wohin, eine Logik des Interesses hebt die Unselbstverständlichkeit, die Unableitbarkeit dieses Sprungs gerade nicht auf – und doch ist dieser Sprung von
solcher Logik her verstehbar, hat er seinen Platz in ihr. Der wunderbare und unerklärliche Sprung, daß es mir um mich geht und
so ich ich bin, mein Ur-sprung in meine anfängliche Helle trägt
in sich den weiteren Sprung, daß es mir, indem es mir um mich
geht, mir auch um mehr als nur mich, mir auch um anderes als
nur mich gehen kann; und dieser Sprung trägt dann den freilich
in einem neuen Sinn weiteren und unableitbaren in sich, daß es
mir wirklich um dieses Andere geht, daß ich mich wirklich von
diesem Anderen bewegen lasse und so gerade dieses Andere von
mir her *wirklich* sein lasse.

Das ist freilich noch nicht im Vollsinn Logik der Liebe, aber es ist Eröffnung der Dimension, in der solche Logik der Liebe sich ereignet. Zu solcher Logik der Liebe gehören, in einem noch höheren Sinn schlechterdings unableitbar, zwei weitere Sprünge hinzu, der eine, der sich von sich her, wenn auch keineswegs vom Nachdenken her, als der allernotwendigste, der andere, der sich von sich her *und* im Nachdenken als der allerunnotwendigste, allerfreieste ausweisen wird – und beide Sprünge sind jene, auf die sich Bonaventuras ganze Leidenschaft des Denkens konzentriert. Der eine, der absolut notwendige: Der Ur-sprung, als der unbedingtes, göttliches Selbstsein geschieht, ist Ursprung des unbedingten Selbst zum unbedingten Anderen, ist trinitarische Selbstkonstitution. Der andere, der allerunnotwendigste, allerfreieste Sprung: Der Gott, der aus seiner Mitte, aus dem Sohn das Andere, die Schöpfung, an sich freigegeben hat und von dem dieses Andere sich weggewendet hat, springt in seinem Sohn in die Mitte, er gibt sich, er gibt seinen Sohn selbst in die Mitte dieses Anderen, um es heimzuholen und in solcher Heimholung in seine eigene, göttliche Mitte hineinzunehmen.

In beiden noch so unterschiedlichen Sprüngen begibt sich doch Korrespondierendes: Gott läßt sich jeweils betreffen vom Anderen – das erstemal vom Anderen in sich, das zweitemal vom Anderen außerhalb seiner selbst –, er ist reine Wegwendung zu diesem Anderen, aber nicht daß solche Wegwendung bloß die äußerste Mächtigkeit und Fülle seiner selbst zur Darstellung brächte, und auch nicht daß solche Wegwendung Konsequenz einer Notwendigkeit des Selberseins, Bestätigung eines aufs Selbst gehenden Interesses wäre; vielmehr ist das Angegangen- und Betroffensein vom Anderen ein Angegangensein zum Sich-Schenken, das Sein-von-sich-weg geht auf als Sein-für. Und gerade darin holt Gott sich zu sich selber ein, Offenheit und Beschluß in sich selbst, Hingabe und Selbigkeit fallen ineins. Das aber ist Liebe. Die Logik dieser Liebe integriert die Logik der Produktivität, die Logik der Produktivität allein integriert und erklärt aber noch nicht die Logik der Liebe.

2.3 Von der Produktivität zur Liebe, aus der Liebe zur Produktivität

Der Standort Bonaventuras, von dem aus er seine theologische Logik entwickelt, ist einerseits der heilsgeschichtliche, dessen offenbare Voraussetzung die sich grenzenlos verschenkende Liebe Gottes ist, andererseits die Logik der Produktivität, die er als Instrumentarium ins Bedenken dieser Liebe einbringt. In der Reductio können wir nun den Vorgang beobachten, wie sich bei ihm diese Logik der Produktivität aufsprengt in die integrative Dimension der Liebe. Er zeigt sich im Zusammenhang seiner Erörterung über die mechanische Kunst, die für ihn den Inbegriff von Handwerk und bildender Kunst bezeichnet. „Der Künstler schafft das äußere Werk, das er im höchstmöglichen Maße angleicht an seine innere Idee; und wenn er ein solches Werk schaffen könnte, das ihn selber liebte und erkännte, gewiß würde er es schaffen; und wenn jenes Werk seinen Urheber erkännte, so geschähe das durch Vermittlung jenes Gleichbildes, jener Idee, gemäß der es vom Künstler hervorging; und hätte es verdunkelte Augen der Erkenntnis, so daß es sich nicht über sich selbst erheben könnte, so wäre dazu, daß es zur Erkenntnis seines Urhebers gelangte, erforderlich, daß diese Idee, durch die das Werk geschaffen wurde, mitabstiege bis zu jener Seinsweise, die von diesem Werk erfaßt und erkannt werden könnte."[45] Der innere Zug des Schaffens, das Worumwillen der Produktivität erscheint hier als die Gemeinschaft, als die Gegenseitigkeit, als das Füreinander zwischen Schöpfer und Werk; es geht nicht um eine Nivellierung und doch um eine Aufhebung der „vertikalen" Struktur des Kausalitätsdenkens in die „horizontale" der Kommunikation. Und diese Kommunikation, das Dasein *für* das Andere, reicht bis zu jener „Torheit", in welcher die eigene Mitte des Produzierenden sich entäußert, sich dynamisiert und einläßt auf das Niveau des Produktes. Wäre die erste Stufe, das Drängen nach einem Werk, mit dem Gemeinschaft möglich ist, noch lesbar auf den Selbstgewinn und die Selbststeigerung des Wirkenden, so wird diese Dimension aufgehoben, über sich hinausgehoben in der Leidenschaft fürs

Andere, die sich in dieses Andere hinein entäußert: hier geht es nur um das Selbst, indem es um das Andere selbst und um die Gemeinschaft selbst geht.

Die Dynamisierung dieser Mitte tritt noch schärfer an einer weiteren Stelle desselben Werkes hervor[46]. Die Mitte, die das ganze Geschehen von Produktion und Kommunikation vermittelt, der Sohn als die Vorbildursache, die sich im Erlösungsgeschehen selbst hineinbildet in die Schöpfung, tritt in zweifacher Position, tritt mit je anderem Schwerpunkt im Geschehen auf: im Ausgang der Schöpfung von Gott steht sie mehr auf der Seite Gottes, im Rückgang, in der Heimholung zu Gott, mehr auf der Seite des Geschöpfes. „Die Mitte im Ausgang muß sich mehr auf die Seite des Schaffenden, die Mitte im Rückgang hingegen mehr auf die Seite des Rückkehrenden halten; wie die Dinge von Gott ausgingen durch Gottes Wort, so ist es zur vollkommenen Rückkehr notwendig, daß der Mittler zwischen Gott und den Menschen (1 Tim 2, 5) nicht nur Gott sei, sondern auch Mensch, um die Menschen zurückzuführen zu Gott."

Der theologische Ansatz Bonaventuras bei der Mitte hat demnach – so läßt sich zusammenfassend sagen – seine Logik gerade darin, daß diese Mitte geschichtliche, geschehende, bewegliche Mitte ist: Mitte, in der sich die Bewegung Gottes zu sich und die Bewegung Gottes über sich hinaus zu seinem Anderen, Mitte, in der dieses Andere sich in seinem Bestand, in seiner Entfernung vom Ursprung und in seiner Rückkehr zum Ursprung ausdrückt und vermittelt. Jesus Christus wird so im Sinn einer bonaventuranischen Theologie je zu lesen sein auf die Geschichte der Liebe, die sich in ihm als die Geschichte Gottes mit Gott, als die Geschichte Gottes mit dem Menschen, als die Geschichte des Menschen mit sich und als die Geschichte des Menschen mit Gott begibt.

Freilich hat in einem noch anderen Sinn die Logik Bonaventuras, die Logik des Ansatzes aus der Mitte eine Geschichte: die Geschichte im Denken Bonaventuras selbst, eine Geschichte, die sich nicht im Nacheinander verschiedener Phasen, vielmehr in der inneren Bewegtheit bonaventuranischen Denkens in jeder seiner

Phasen ausdrückt. Wie das Ziel, wie die Logik der Liebe bereits in seinem Frühwerk, in der Reductio, die Logik der Produktivität durchformt, haben wir beobachtet. Eine Kurzformel dieser inneren Durchdringung, des inneren Gangs von der Produktivität zur Liebe, finden wir im Spätwerk, im Hexaemeron. Dort wird die Vollkommenheit göttlichen Seins in vier Graden ausgesagt, von denen jeder Grad die Integration des niederen im Sprung darstellt. Vollkommenheit (perfectio), vollkommene Hervorbringung (perfecta productio), hervorbringendes Verströmen (productiva diffusio), verströmende Liebe (diffusiva dilectio)[47]. Vollkommenheit, vom Sein als Bestand her gedacht, legt sich ihm aus als Genese, die ihrer selbst und darin ihres Anderen mächtig ist (Produktivität); solche Produktivität wird ihrerseits erst vollkommen, wo sie nicht etwas herstellt, sondern sich aus sich heraussetzt, sich jenseits von sich selbst mächtig sein läßt, sich eben verströmt. Verströmen aber meint nicht ein Sich-Verlieren oder die Kunst, sich im Jenseits seiner selbst gerade nicht zu verlieren, sondern jene Bejahung, die, indem sie sich selber gibt, gerade das Andere an sich selber freigibt, es selbst freisetzt und bejaht. Daß diese innere Logik, dieses Sich-zur-Spitze-Treiben konsequent ist, wird vom Ende her durchsichtig, vom Ende her geht die ,,Möglichkeit" solcher Steigerung-im-Sprung auf; aus dem bloßen Beginn, aus der bloßen metaphysischen Spekulation des Bestandes, aber auch der Produktivität läßt sie sich nicht herausrechnen. Eine Logik, die von der Liebe aus des Paradoxes, des Sprungs, der Unableitbarkeit fähig und mächtig ist, zerbricht so nicht den Zusammenhang zwischen Gott und Sein, zwischen Theologie und Philosophie, zwischen Heilsgeschichte und Metaphysik, sondern wahrt, klärt und ermöglicht ihn, ohne die Pole ineinander hinein zu nivellieren. Solche Logik ist der *Unterscheidung* des Christlichen und Theologischen wie seiner *Einheit* mit dem Menschlichen und Philosophischen zugleich mächtig.

3. Der springende Punkt der theologischen Logik: die Auferstehung

3.1 Nachfolge und Auferstehung

Die Notwendigkeit einer theologischen Logik hat sich uns aufgedrängt aus der Bestimmung der Theologie als reflektierter Nachfolge. In solcher Logik gibt es, von den drei in reflektierter Nachfolge miteinander verschlungenen Grundbewegungen her, einen einzigen springenden Punkt, der in der Tat auch immer wieder zum springenden Punkt theologischer Entwürfe wird: die Auferstehung. Ausgerechnet an der Auferstehung macht auch Bonaventura das Problem theologischer Logik ausdrücklich[48]. Ehe wir uns seiner Aussage zuwenden, die für unsere heutige Fragestellung Überraschendes zutage bringen kann, wollen wir dieser Problemstellung selbst in einem knappen Aufriß nachgehen.

Das Evangelium wird erst in seiner „Veränderung" durch die Nachfolge in seinen gültigen Urtext gehoben. Nachfolge wird aber zum Bekenntnis in der Folge der Auferstehung, und was geschichtlich von Anfang an das Zuerstbekannte im Bekenntnis der Nachfolge darstellt, ist die Auferstehung. In der Nachfolge werden menschliche Existenz und Welt ins Evangelium integriert, am Evangelium verifiziert. Der ursprüngliche Anspruch des Evangeliums, Botschaft des Heils, also der Integration von Mensch und Welt zu sein, schlägt sich nieder in der Verheißung der Teilhabe an der Auferstehung Christi. „Wenn wir nicht von den Toten auferstehen, dann ist auch Christus nicht von den Toten auferstanden" (1 Kor 15,16): auf diese paradoxe Formel bringt es das älteste Auferstehungszeugnis des Neuen Testaments. Die Nachfolge ist der Ort, um die Nachfolge selbst und ihre verifizierende und integrierende Kraft sowohl für das Evangelium wie auch für Mensch und Welt zu reflektieren. In der Sprache der Schrift: „Niemand kann sagen: Herr ist Jesus, außer im Heiligen Geist" (1 Kor 12,3). Der Geist, den jene empfangen, die sich Jesus anschließen, ist aber wiederum Frucht der Auferstehung, und das Bekenntnis, das aus diesem Geist wächst, ist als Bekenntnis des

Herrn genuin Bekenntnis der Auferstehung. Auferstehung ist also in der Tat der springende Punkt einer Logik reflektierter Nachfolge.

Die Schwierigkeit, die dieser springende Punkt der Theologie macht, liegt in der Frage, auf welche Seite der polaren Beziehungen zwischen Evangelium und Nachfolge, Existenz und Jesus Christus, ursprünglich Geglaubtem und Selbstreflexion des Glaubens die Auferstehung nun zu stellen sei. Drei – wir dürfen sagen – Engführungen begegnen uns heute nicht selten in der theologischen Diskussion. Es geht hier nicht darum, die Position des einen oder anderen Theologen auf eine solche Engführung zu fixieren, sondern darum, Grundtendenzen faktischer Interpretation von Auferstehung im Feld und Umfeld der Theologie namhaft zu machen, die nach einer Alternative rufen.

Einmal gibt es den Ausstoß des „historischen Jesus" aus dem Kerygma, ein Anfangen der Christusbotschaft mit der Auferstehung, wobei das Vorösterliche nur Präludium, nur in sich selber undeutlicher oder unbedeutender Anlauf und Anlaß jener Geschichte des Glaubens ist, die erst mit der Auferstehung beginnt. Die nachösterliche Nachfolge ist erst Ort der Genese des Evangeliums; der Schwerpunkt des Evangeliums verlagert sich so aber – entgegen der Intention, das Theologische vom bloß Historischen reinzuhalten – ganz in die Existenz. Indem Auferstehung aus dem geschichtlichen Kontext ihres Vor und Nach wegbricht, rückt sie einzig hinein ins Kerygma, das die Existenz meint und in ihr sich bewährt. Nachfolge wird alles, aber sie droht gerade ihren Charakter als Nachfolge zu verlieren, Selbstexplikation des Daseins in einem Akt der Selbsttranszendenz zu werden. Der Punkt Auferstehung hört auf, kritischer Punkt zu sein, weil nachfolgende Existenz und ihre Interpretation der einzige Standort des theologischen Geschehens werden.

Zum anderen gibt es die Reduktion auf den historischen Jesus, die Rücknahme auch der Nachfolge aufs Bewahrheiten und Umsetzen seiner Impulse zu Gottvertrauen und Menschenliebe in der Praxis. Auferstehung wird dann zu einem im Grunde verzichtbaren Interpretament dessen, was in Jesus Christus als zündende Initiative, als Anstoß von seiten Gottes her aufgebrochen ist. Nachfolge wird allein an den vorösterlichen „Urtext" gewiesen, zur scheinbar aktualisierenden, im Grunde historisierenden, dennoch auch historisch frag-würdigen Rekonstruktion eines Entwurfs des vorösterlichen Jesus. Die genannten Spannungen, deren Schnittpunkt Auferstehung ist, werden aufgelöst, indem dieser Schnittpunkt zur reinen Selbstinterpretation der Nachfolge erklärt wird. Wenn so auch die beiden genannten Reduktionen sich voneinander zu unterscheiden scheinen – die eine konzentriert sich auf nachösterliche, die andere auf im Prinzip vorösterliche Nachfolge –, so laufen sie doch für die Auferstehung aufs selbe hinaus: sie wird in beiden Fällen letztlich zur Interpretation der eigenen Existenz.

Schließlich gibt es aber auch die Rücknahme von Auferstehung in die Funktion eines bloßen Bindegliedes zwischen vorösterlichem und nachfolgendem Evangelium auf derselben geschichtlichen und existentiellen Ebene. Die Auferstehung ist unter den die Gottheit Jesu beweisenden Wundern das größte und gewichtigste, ihre Funktion beschränkt sich auf die Beglaubigung einer Botschaft, die im Grunde nur per accidens der Nachfolge bedarf und nur per accidens auch noch Heilsbedeutung für den Menschen hat. Die Dramatik der Übersetzung vom Evangelium zur Verkündigung aus der Nachfolge, von der Existenz zu ihrer Verifizierung am Evangelium in geschehender Nachfolge wird zur Statik eines von bestimmten Prämissen aus kontrollierbaren Bestandes von Offenbarungstatsachen reduziert. Das scheint als die „gläubigste", es kann aber leicht auch die am meisten bloß rationalistische Weise des Umgangs mit der Auferstehung werden. Eine eigene theologische Logik wird überflüssig. Das gilt auch dort, wo zur Erkenntnis der Auferstehung sowie des vor- und nachösterlichen Jesus ein Glaubenslicht postuliert wird.

3.2 Der Auferstandene als Mitte der Logik

Stellen wir dem, zunächst unvermittelt, die Aussage Bonaventuras gegenüber, in welcher er Christus in seiner Auferstehung als die Mitte der Logik erweisen will. Vorbemerkung hierzu: Logik selbst ist für Bonaventura in diesem Zusammenhang nicht abstrakte Denkgesetzlichkeit, sondern konkrete Überzeugungskunst, zu der freilich die Stimmigkeit und Schlüssigkeit der Argumentation erforderlich ist[49].

Wir legen seine Aussage in fünf Schichten auseinander, um die Textur seines Verständnisses von Logik und von Auferstehung ans Licht zu heben. *Erste Schicht:* Die Auferstehung erscheint als Folgesatz in einem dreisätzigen Schlußverfahren, zu dem Bonaventura das Christusgeschehen formalisiert. Der Obersatz sagt die Gottheit Christi aus, seine trinitarische Herkunft als der ewig gezeugte Sohn des Vaters. ,,Christus hatte, als Gott, die Gleichförmigkeit der Natur mit dem Vater, die Gleichheit der Macht und der Unsterblichkeit des Lebens zu eigen. In diesen dreien war er mit dem Vater verbunden."[50] Der Untersatz besagt, daß der Sohn Gottes die Menschennatur angenommen hat, damit aber ,,die Leidensfähigkeit der Natur, die Not des Bedürfens, die Sterblichkeit des Lebens"[51]. Der Schlußsatz sagt nun aus, daß Christus auferstanden ist und daß darin das (unzerstörbare) Wesen über den Tod, die Macht über die Not, die Leidenslosigkeit über das Leiden siegte. Sparen wir die unvermittelt sich aufdrängenden Fragen an solche ,,Logik" auf; sie sind im Duktus des bonaventuranischen Gedankens dadurch im vorhinein aufgefangen, daß er die verschiedenen Schichten, die wir hier methodisch trennen, dichter ineinanderrückt.

Zweite Schicht: Das Geschehen, das ins gezeigte Schlußverfahren gebracht wird, zielt von seiner Struktur her nicht allein, ja nicht einmal zuerst auf Christus als den Auferstandenen. Der eigentliche Sinn auch des Schlußsatzes wird sichtbar durch den Untersatz, der ja nicht heißt: Der Mensch ist leidensfähig, bedürftig, sterblich, sondern: Der Sohn Gottes nimmt die Menschennatur und somit ihre bezeichneten Eigenschaften an. Es geht also Gott um den Menschen, um die Gemeinschaft mit dem Menschen, und so ist das eigentlich in der Auferstehung zum Vorschein Kommende, das im Schluß Intendierte die Aufhebung menschlicher Unterworfenheit unter Leiden, Tod und Not. „Es geschah also notwendig, daß der Mensch von der Sterblichkeit zur Unsterblichkeit, vom Mangel zur Fülle, vom Leiden zur Herrlichkeit übergeht."[52] In der Logik der Auferstehung hängen die immanente Logik des christologischen Geschehens und das von ihm umfaßte menschliche Geschick, das von seiten Gottes geteiltes Geschick wird, unlöslich zusammen. Die Logik, um die es sich hier handelt, erweist sich als Logik der Liebe.

Dritte Schicht: Die Schicksalsgemeinschaft zwischen dem Sohn Gottes und dem Menschen in der Annahme seiner Menschennatur hat freilich auch ihre Konsequenz für Christus selbst: Wirklich *er* ist der erste Auferstandene, Verherrlichte und damit vor den Menschen Bestätigte. Aber auch solche Bestätigung läuft auf das Heil des Menschen, denn sie läuft auf das Bekenntnis des zum Heil notwendigen Glaubens hinaus. Dieses Bekenntnis als die Konklusion, das setzt weder das Geschehen der Verherrlichung an Christus noch die Bedeutung dieses Geschehens für den Menschen außer Kraft, gehört aber zur integralen Charakterisierung des „Schlusses", der die Auferstehung ist, wesentlich hinzu, trägt ihm eine neue Note ein. Bonaventura zieht die Erscheinungsgeschichte des Auferstandenen vor Thomas bei. „Ein Doppeltes zeigte er dort, nämlich die Erhabenheit der Glorie, indem er, der Leidenslose und Unsterbliche, bei verschlossenen Türen eintrat als Gott. Sodann zeigte er ihnen Hände und Seite und brachte Thomas zum Bekenntnis, daß er sagte: Mein Herr und mein Gott. Sieh den Vorgang! Zuerst trat er ein als Gott bei verschlossenen Türen – das war der Obersatz. Dann – dies der Untersatz – zeigte er ihnen Hände und Seite; zum dritten erwirkte er die Schlußfolgerung, daß Thomas bekannte: Mein Herr und mein Gott."[53]

Vierte Schicht: Die Wendung des Argumentationsziels von der Tatsache der Auferstehung Christi über ihre Bedeutung für uns zu ihrem Bekenntnis durch den Glauben weist uns auf eine scheinbare Unstimmigkeit, im Grunde aber signifikante „Doppelbödigkeit" in dem hin, was Bonaventura als Logik versteht. Zunächst erscheint doch die Auferstehung als conclusio, als Schlußfolgerung, somit aber als Ergebnis aus den beiden Obersätzen. Andererseits hat Bonaventura den auferstandenen Herrn als die *Mitte* der Logik eingeführt – dies ist der Anlaß seiner gesamten Erörterung. Und nun, im Bekenntnis des Thomas wird ja nicht nur, ja nicht einmal zuerst die Auferstehung als solche bekannt, sondern die Auferstehung erschließt, wer in Wahrheit dieser erscheinende Auferstandene ist. Damit dreht sich aber die Bedeutung der Schlußfolgerung in die ursprünglich intendierte Position der vermittelnden Mitte zurück. Erweiternd dürfen wir sagen: Von der Auferstehung als Schlußsatz aus werden beide Prämissen, Obersatz *und* Untersatz, erst beglaubigt. Sie weisen sich nicht selbst aus, sondern erweisen sich aus dem Schluß als der Mitte ihrer Zugänglichkeit. Inhaltlich gesagt: Von der Auferstehung aus wird glaubhaft, daß dieser Jesus der Sohn Gottes ist, und wird glaubhaft, daß die menschliche Geschichte dieses Jesus bis hin zum Tod am Kreuz Geschichte der Liebe Gottes zum Menschen und somit Geschichte seines Heils ist. Die Argumentationsstruktur, die von der Sache her aus den Prämissen auf die Schlußfolgerung weist, geht in der Ordnung des sich interpretierenden Geschehens von der Schlußfolgerung als vermittelnder Mitte zu den Prämissen hin. Genauso will Bonaventura seinen „Beweisgang" auch verstanden wissen: „Die Mitte zwingt also durch ihre Evidenz, ihre Offenbarkeit und ihre Übereinstimmung mit den Außengliedern (Prämissen) die Vernunft zur Zustimmung, so daß die Außenglieder – da sie zuvor nicht offenbar übereinstimmten – durch die Kraft der Mitte, die mit beiden Außengliedern übereinstimmt, auch unter sich offenbar miteinander übereinstimmen."[54] In der Logik der Liebe geht es also derart zu, daß die Liebe das Erste und sich Durchsetzende ist, daß aber erst am Ende die Momente ihrer Geschichte als Momente der Liebe sichtbar werden.

Fünfte Schicht: Auferstehung ist nicht nur Geschehen *für* uns, das im Blick auf unsere eigene Auferstehung auch noch ein Geschenk *an* uns meint, sondern Auferstehung ist – im Sinne Bonaventuras – auch ein Geschehen *mit* uns. Er verknotet den

Schluß Christi mit dem Trugschluß des Teufels: „Es gibt aber ein Argument Christi und ein Argument des Teufels. Das Argument des Teufels führt zur Hölle, ist ein Trugschluß, ein sophistisches und zerstörerisches Argument; das Argument Christi ist ein aufbauendes und wiederherstellendes. Der Teufel nämlich betrog den ersten Menschen und unterstellte im Herzen des Menschen eine Voraussetzung, als ob sie sich von selbst verstünde. Sie heißt: Die vernünftige Kreatur muß die Gleichheit mit ihrem Schöpfer erstreben, denn sie ist sein Bild. Wenn du aber issest, wirst du gleich werden (vgl. Gen 3, 5). Also ist es gut, vom Verbotenen zu essen, um gleich zu werden ... Durch diesen Trugschluß führte der Teufel ins Leiden der Natur, in die Not des Bedürfens, in die Sterblichkeit des Lebens."[55] Der Obersatz: Wer Gottes Bild ist, muß Gott gleich werden. Der Untersatz: Wer vom Baum ißt, wird Gott gleich. Der Schluß: Also iß, und du wirst Gott gleich. Mit diesem Schlußverfahren kontrastiert das im ersten Schritt erhobene Schlußverfahren, hier hat die Gegenüberstellung von Sterblichkeit und Unsterblichkeit, Macht und Ohnmacht, Leiden und unzerstörbarer Natur ihren Hintergrund. In einer letzten und tiefsten Interpretation, die das Gesamt der Darstellung Bonaventuras durchzieht, läßt sich das Gegenargument Christi wie folgt formalisieren: Ich selbst bin Gott gleich, ja mit Gott eins; ich nehme die Gleichheit mit euch an, die ihr der Gleichheit mit Gott entraten seid; indem ich, von dem aus ihr seid und seid, was ihr seid, indem ich als das die Schöpfung in Gott eröffnende und umfassende Urbild mit euch gleich werde, erhebe ich auferstehend euch in mein Bild und somit in die Gleichheit mit Gott. Bonaventura macht dieses Ergebnis als seine Intention deutlich: „Darauf geht unser ganzes Verfahren aus, daß wir Gott gleich seien", und er sieht es durch die aus dem Kreuz resultierende Auferstehung erreicht, wenn er das Johanneswort heranzieht: „Ich werde, wenn ich von der Erde erhöht bin, alles an mich ziehen (Jo 12, 32)."[56]

Der Angelpunkt, der Unterscheidungspunkt zwischen den beiden Argumentationsreihen ist dann aber der Untersatz. Der Teufel rät zum Aufstieg aus Eigenem, zum Ergreifen der Gottgleichheit, ja Göttlichkeit von unten, Christus *rät* nicht zuerst, sondern *tut* – und er tut das Umgekehrte: er steigt ab, er nimmt an, er läßt sich ein ins Unten; denn das Oben läßt sich nur verschenken; und indem er dahin kommt, wo wir sind, kann er das Oben verschenken. Doch dann schließt sein Tun auch ein Raten, ja eine notwendige Forderung mit ein: Nur wer dorthin geht, wo Christus ist, wer sich bis dort hinabläßt, wohin er sich herabgelassen hat, kann ihm begegnen. So aber wird die Logik der Auferstehung Logik unseres eigenen Vollzuges, unserer Nachfolge – und genau darauf legt Bonaventura den Finger. „Das ist unsere Logik, das ist unsere Beweisführung, die dem Teufel entgegenzuhalten ist, der beständig gegen uns argumentiert. Aber zur Annahme des Untersatzes braucht es alle Kraft; denn wir wollen nicht leiden, wir wollen nicht gekreuzigt werden. Und doch geht darauf unsere ganze Beweisführung: daß wir Gott gleich seien."[57] Die Logik der höchsten Souveränität sich verschenkender Liebe Gottes wird unabweislich zur Logik der Nachfolge.

3.3 Fazit für eine theologische Logik

Wie läßt sich nun der Ertrag bonaventuranischer Auferstehungslogik für unser Verständnis der Auferstehung und für unsere Probleme einer theologischen Logik zusammenfassen? Auferstehung ist im Sinne Bonaventuras unzerreißbar in drei Positionen und in vier Bewegungen zu situieren: Einmal ist Auferstehung Geschehen, das Jesus Christus selbst betrifft, sie ist *seine* Auferstehung; zum anderen ist Auferstehung Geschehen *für* uns, das ein Geschehen *an* uns antizipiert; zum dritten ist Auferstehung ein Geschehen, das – ohne aufzuhören von sich her zu sein – doch auf uns zu, auf unser Bekenntnis zu ist, Geschehen, das in unserem Bekenntnis, in unserem Zeugnis, im Kerygma ankommt; es ist erst ganz es selbst, wenn es zugleich, als eines und dasselbe, in sich und in uns da ist – Bekenntnis, Zeugnis, Kerygma gehören zur Identität von Auferstehung hinzu. Diese drei Positionen markieren vier Bewegungen: Auferstehung spielt in der Bewegung Jesu auf den Vater zu – in der Bewegung Gottes in Jesus auf uns zu – in unserer Bewegung der Nachfolge, die sich zur Teilhabe verwandeln wird – in unserer Bewegung zur Welt, indem Auferstehung durch unser Bekenntnis bezeugt und weitervermittelt wird.

Damit aber gehört Auferstehung zugleich zu dem Evangelium, das bezeugt wird, *und* zu der Nachfolge, die es bezeugt; sie gehört zugleich, als die ihre Gegenwart bestimmende Zukunft, zur Existenz und zur Welt, die in der Nachfolge vom Evangelium her zu verifizieren und zu integrieren sind, *und* zur schon gegebenen Gegenwart des auferstandenen Herrn in seinem Evangelium, so daß Nachfolge sich auf den wahrhaft Auferstandenen jetzt schon einläßt; Auferstehung gehört schließlich sowohl in die Interpretation aus der Nachfolge *wie auch* in das ihr anheimgegebene und doch unverfügbare Evangelium selbst. Alle Reduktion, die Evangelium, Nachfolge, Existenz oder Interpretation isoliert und absolutsetzt, verkürzt Auferstehung; dasselbe gilt von jener Einebnung der Auferstehung in den gleichmäßigen Strom heils- und weltgeschichtlicher Ereignisse, die anstelle des unerwartbaren, unerdenkbaren Sprungs die bloße Konsequenz einer linearen Logik setzt.

Die Logik der Auferstehung bei Bonaventura ist freilich Logik, bei der die Konsequenz „logischerweise" nicht notwendig, sondern gerade Geschenk ist, Geschenk, das die Übergröße der schenkenden Liebe des Ursprungs gerade darin einholt, daß es eben im Effekt mehr schenkt, als jeder Anspruch, jede Erwartung, jede Schlußfolgerung zuließe, so daß die Logik der Liebe im je größeren Schluß die je größere Voraussetzung offenbart. Solche Logik ist wehrloser als bloße Logik, weil Liebe eben nicht so zwingt, wie bloße Notwendigkeit zwingen kann; sie bewegt aber zugleich mehr, weil sie Logik der sich selbst übertreffenden, der sich selbst verschenkenden Bewegung ist, vor der jedes Sich-entziehen-Wollen beschämt wird, jeder Rückzug auf bloße Logik Ausrede, Verrat ist.

Eine Logik der Auferstehung ist so eine Logik des Komparativs: Im Menschen Jesus ist mehr, als was sein Menschsein uns zeigt. Im Sohn Gottes ist mehr, als was sein Gottsein als solches sagt. Kreuz ist mehr, als was zu unserer Erlösung notwendig, Auferstehung ist mehr, als was im Kreuz schon enthalten ist; Auferstehung ist mehr als nur die Auferstehung Christi; ihr Geschehen ist mehr, als was unsere Botschaft und Nachfolge von ihr ans Licht bringt; aber auch unsere Botschaft und Nachfolge ist mehr als bloß die Fixierung und Konservierung des Faktums Auferstehung.

Vielleicht lassen sich von der inneren Stringenz dieses Mehr, dieses Komparativs auch jene Partien und Dimensionen des bonaventuranischen Gedankengangs für unser heutiges Verstehen aufschlüsseln und übersetzen, die uns aufs erste fremd ankommen: daß unsere geschichtliche Situation der Endlichkeit und Sterblichkeit „mehr" ist als Konstitution von Existenz und Welt, daß die Menschheit Jesu und sein Tod mehr sind als das Schicksal eines einzelnen Menschen plus Solidarität mit allen anderen. In einer Logik der Liebe wird Bonaventuras These von der Urbildhaftigkeit des Logos für die Schöpfung mehr als metaphysische Spekulation; sie wird Ausdruck des Geheimnisses Gottes, das sich selbst als verschenkende Liebe, als Offenheit zu seinem Anderen interpretiert und so auch Stellvertretung verstehbar macht, in welcher es wirklich unser Leben und unser Tod sind, die von Jesus gelebt und gestorben werden. Logik der Liebe – vielleicht die einzige Chance, das Evangelium unverkürzt zu wahren und zugleich je neu zu übersetzen.

4. Der Einsprung in die theologische Logik: das Kreuz

4.1 Kreuz als universale Integration

Das Kreuz als *ein* Moment in einer theologischen Schlußfolgerung, aufgehoben in die alles integrierende und überwindende Liebe, wie sie in der Auferstehung offenbar wird, ist das nicht zu harmlos, geht solche Logik nicht an der Wirklichkeit des Menschen, wie er ist, und des rätselhaften Gottes, wie er ist, vorbei? Die Gangart, welche die Logik der Liebe durchstimmt, ist bei Bonaventura indessen an einem einzigen Punkt offenbar nicht die des Enthusiasmus, des einfach überbordenden Sich-Verströmens und -Verschenkens; an *einem* Punkt gibt es etwas wie einen Abbruch, an dem der Sprung nicht von selbst gelingt, sondern in der äußerst mühsamen Konzentration des Entschlusses, des aufgehobenen Widerstandes gesetzt werden will. Dieser Punkt ist das Kreuz, und wir sind diesem Charakter des Kreuzes bereits begegnet: „Hier ist die ganze Kraft" – und Bonaventura setzt da das gewaltsame Wort „vis" – „aufzuwenden; denn wir wollen nicht leiden, wir wollen nicht gekreuzigt werden."[58] Dennoch ist gerade diese Differenz innerhalb des Gesamtganges der Logik der Liebe die entscheidende Stelle in ihr, jene, an welcher die Integration in der einen wie in der anderen Richtung allererst gelingt. Das Kreuz ist der Einstieg, der Einsprung in die Logik der Liebe; im Kreuz wird deutlich, daß man diese Logik nicht ausdenken kann, sondern daß Logik Logik der Existenz, des ganzen Daseins ist. Aber eben mehr als nur meines Daseins: Im Kreuz, gerade in ihm geschieht die Begegnung, im Kreuz rückt die Mitte, die Christus ist, hinein in den Raum unserer wirklichen Welt, unseres wirklichen Daseins.

Genauso sieht es Bonaventura. In seiner zuerst merkwürdigen Sprache: Christus am Kreuz ist für ihn die Mitte der Mathematik, und Mathematik heißt für ihn Geometrie, Geometrie aber ist Geometrie nicht des abstrakten, sondern des wirklichen, des vom Dasein erfüllten Raums, in dem sich die Sachen stoßen und in dem die Menschen leben[59]. Der Nerv seiner Gedankenführung: Die Mitte des Raumes ist der Gravitationspunkt aller Bewegungen, derjenige, in den sie treffen und in dem sie aufeinandertreffen. Von diesem untersten Punkt aus allein ist alles, das ganze Kräftespiel integriert. Als der Punkt absoluter Passivität, universalen Widerfahrens ist er aber auch Punkt des Umschlags, von dem aus die steigenden Kräfte ausgehen und den Raum erfüllen. Als unterster Punkt ist er der Wendepunkt der Bewegung und darin zugleich der Punkt, von dem aus alles in seine Maße, in seine Proportionen tritt. Durch das Kreuz und seine Radikalisierung im Eingang Christi in die Hölle, ins Innerste der Erde, wird für Bonaventura Christus dieser Maß- und Wendepunkt des Welt- und Geschichtsraums. Im Kreuz ist so spiegelverkehrt dasselbe gegeben wie in der Stellung der ars aeterna, der ewigen Kunst, in der alles, was ist, überboten ist in seine Urgestalt, in die reine seinlassende Mächtigkeit Gottes hinein. Im Kreuz und im Abstieg zur Unterwelt hingegen ist vom selben Christus alles unterboten – und so ist noch mehr integriert als in der ars aeterna: Alles, was wirklich ist, die ganze von Gott geschaffene, die ganze an sich freigegebene, die ganze durch sich selbst von Gott weggewandte und entzogene Schöpfung, auch die Sünde, auch der Tod sind angenommen und zu eigen gemacht von Gott in dem, der sich einließ ins Gegenteil seiner eigenen Fülle, in dem, der sein Ja und Du zum Vater von der Stelle der äußersten Distanz zu ihm sagen wollte. Zwischen der innersten Mitte Gottes, die der ewige Sohn ist, und der innersten Mitte des wirklichen, geschichtlichen Kosmos, an die dieser Sohn sich begeben hat, ist alle Wirklichkeit umspannt, und darin ist sie zwischen Gott und Gott umspannt, hineingenommen in das Geschehen der dreifaltigen Liebe.

Wie bei der Auferstehung so ist es auch beim Kreuz Bonaventura nicht nur darum zu tun, eine objektive Gegebenheit in ihre innere Struktur und ihre Bedeutung für uns hinein zu entfalten; vielmehr werden diese beiden Momente dadurch ergänzt, ja kommen sie erst zur Gegebenheit und Verständlichkeit *für uns,* indem der Mensch sich selbst in dieses Geschehen hineingibt, es zu seinem Selbstgeschehen werden läßt. So liest Bonaventura in unserem Zusammenhang die Schriftstelle: ,,Ich bin in eurer Mitte als einer, der dient" (Lk 22, 27) auf diesen Abstieg Jesu in die abgründige Mitte; und er wendet in dieselbe Richtung, aber im Blick auf uns, auf das, was von uns zu vollziehen ist, das andere Wort: ,,Wenn ihr nicht umkehrt und werdet wie die Kinder, könnt ihr nicht ins Himmelreich eintreten" (Mt 18, 3)[60]. Der Ort des Christen ist für ihn das Unten, der tiefste Punkt des Ganzen, weil nur von hier aus das eigene Maß und das Maß Christi gewonnen werden. Humilitas, was Demut und Niedrigkeit zugleich bedeutet, wird zur Grundtugend, die dem Christen den Einsprung in die Ordnung des Glaubens und der Liebe ermöglicht[61]. Nur die Demut ermißt die Dimensionen des Ganzen, weil der Demütige sich nicht im Weg steht und so Raum hat für die Dimensionen Gottes, für die Dimensionen des Ganzen.

4.2 Kreuz als unbedingte Gleichzeitigkeit Gottes und seines Anderen

Bei kaum einem anderen zentralen Thema der Heilsgeschichte sind für Bonaventura der vorausgehende, eröffnende Vollzug göttlichen Handelns und der Nachvollzug, die Nachfolge so unlöslich miteinander verschmolzen wie gerade beim Kreuz. Die vielen und reichen Aussagen Bonaventuras zur Passion stehen fast ausnahmslos in der Perspektive der Kompassion[62]. Hintergrund dafür: Nirgendwo sonst ermißt Bonaventura so sehr die bewegende Kraft der Liebe Gottes, nirgendwo sieht er einerseits ein so starkes Widerstreben der menschlichen Natur gegen den Umstieg in die Struktur Gottes, nirgendwo gewahrt er andererseits so tief die bewegende, entgegenkommende, unwiderstehliche Kraft der Liebe Gottes als im Kreuz. Da es der Logik der Liebe, die eine Logik der sich verschenkenden und sein Anderes bejahenden Bewegung ist, darauf ankommt, ihrerseits ihre Partner zu bewegen, in dieselbe Bewegung der Liebe einzustimmen, darum ist das betrachtende und verkostende Sprechen Bonaventuras über Kreuz und Passion nicht eigentlich ein frommer Zusatz zur strengen Theologie, sondern der hier besonders gemäße Vollzug.

Diese Durchdringung von Kreuz und Kreuzesnachfolge, Kreuz und Kreuzesliebe hat indessen keineswegs nur einen affektiven Grund. Der Affekt selbst entspringt dem Stellenwert dieses Geschehens im Gefüge der theologischen Logik. Dieser Stellenwert läßt sich, im Hinblick mehr aufs Gesamt bonaventuranischen Sprechens als im Hinblick auf einzelne Passagen zweifach auslegen.

Zunächst: Das Kreuz ist zugleich der Komparativ Gottes und des Menschen. Der Komparativ Gottes, sofern Gott die Liebe, die er ist, hier bis in ihr Gegenteil hinein dehnt, am Punkt der größten Entfernung zu sich zur Gegebenheit, zur Wirksamkeit bringt. Der Komparativ aber auch des Menschen, sofern er in der Nachfolge über das Maß bloßen menschlichen Leidens in die Teilhabe mit dem Leiden Gottes, in das Mittragen mit der die ganze Welt überwindenden Liebe des Kreuzes gewiesen ist[63]. Mehr noch: Nur durch das Geschehenlassen des Kreuzesgeschehens am eigenen Dasein wird der Mensch fähig, das sich schenken zu lassen, was Gott ihm zuhöchst schenken will, die innerste Teilnahme an seinem Leben und an seinem Licht. Bonaventura appelliert an das Dunkel, nicht an die Klarheit, nicht an das Licht, sondern an das Feuer und erklärt, daß dieses Feuer Christus angezündet hat in seiner glühenden Passion und nur der seine Glut aufnimmt, der bereit ist, in seinen Tod einzugehen. Daß man nicht Gott schauen und leben kann (vgl. Ex 33, 20), liest er daraufhin, daß man eben sterben, den Tod vollziehen muß, um Gott zu schauen – schon hier und einst in der Vollendung[64].

Sodann: Sowohl das Kreuz Christi wie die Kreuzesnachfolge sind jeweils ein einziger Vollzug, der zweierlei in einem vollbringt, das Eigene und das Andere. Jesus vollbringt in seinem Kreuz das Eigenste Gottes, indem er die Liebe Gottes in ihr Äußerstes bringt, und er vollbringt dieses Eigenste Gottes in der ihm als Sohn zukommenden Stellung nochmals, indem er seine Liebe zum Vater bis in die äußerste Hingabe, in den äußersten Gehorsam bringt. Doch Inhalt dieser Liebe Gottes, die sich in ihm äußert, und des Sohnesgehorsams, den er vollbringt, ist gerade die Übernahme der Anderen und des Anderen, das Aufsichladen der Schuld und Last der Menschheit und das stellvertretende Stehen an der Stelle der Menschheit und jedes einzelnen Menschen. Umgekehrt ist das Kreuztragen des Menschen „nichts anderes" als das Annehmen des eigenen Ortes, an den er gehört, als der Mut zur eigenen Wirklichkeit, als die Konsequenz seines Schuldigseins[65]. Gleichzeitig aber tritt in der Übernahme des Kreuzes der Mensch in die Logik Christi ein, er macht sich seine Bewegung der Entäußerung, der Liebe, des Hinseins zu seinem Anderen zu eigen und tritt so aus der Selbstverschlossenheit, aus der falschen Logik der Selbsterhebung heraus in die wahre und andere Logik Gottes.

4.3 Logik des Kreuzes

Die Quintessenz des Kreuzes in der Sicht Bonaventuras für eine theologische Logik läßt sich auf die drei Worte bringen: Sprung,

Communio, Integration. Im ganzen Geschehen, im Geschehen der Liebe und im Geschehen der Antwort auf die Liebe, ist das Kreuz der kritischste Punkt, der Punkt, der den kühnsten Sprung ernötigt, weil in ihm die Vollendung des Eigenen mit der Teilhabe am Anderen engstens gekoppelt ist. Das macht die Ungeheuerlichkeit der Bereitschaft Gottes zum Kreuz seines Sohnes, das macht aber auch die Härte der Kreuzesnachfolge aus. Durch den gewagten Sprung aber gelingt die Communio: Im Kreuz wird die Sache der Menschheit, wird das Leben und Sterben der Menschen zur Sache, zum Leben und Sterben Gottes. In der Kreuzesnachfolge werden die Dimensionen der göttlichen Liebe, auch ihre Weisheit und ihre Seligkeit, zur Sache des Menschen, zur Möglichkeit für den Menschen, zum Geschenk für den Menschen. Darin aber geschieht die umfassende Integration des Ganzen: Im Kreuz Christi ist der ganze Gott und der ganze Mensch, sind Höhe und Tiefe, im Kreuz ist alles da.

IV.

Integration: Theologie als Weltwissen und Wissenschaftslehre

1.   Theologie als Weltwissen

1.1   Weltflucht und Weltzuwendung

Mit demselben Recht kann man Bonaventuras Theologie als Weg der Lösung von der Welt, als Methode des Überstiegs über die Welt, als reflektierte „Weltverachtung" und kann man sie als aus dem Glauben reflektierte Weltzuwendung, als denkende Integration von Schöpfung bezeichnen. Beides hängt eng miteinander zusammen: Welt wird vom Punkt ihrer Einheit her allein zur Welt, hört von diesem Punkt ihrer Einheit her allein auf, eine Ansammlung unlesbarer Chiffren zu sein, ein Gewirr von Silben, das sich nicht zum Wort fügt. Diesen Punkt der Einheit findet Bonaventura aber gerade nicht in der Welt, sondern in dem, was ihr als ihr Äußerstes und Innerstes kontrastiert: in der ewigen Weisheit, in der Uridee des Logos, der sie in Gott ermöglicht und eröffnet, in der von Gott allein zu wirkenden Verwandlung und Vollendung, in der Dimensionierung und Orientierung des Ganzen vom Tiefpunkt des Kreuzes.

So ist es kein Widerspruch, daß Bonaventuras Schrift über die Welt, das Itinerarium, ein Buch ist, das seinen Anfang von der Anrufung des Gekreuzigten nimmt und sein Ziel gerade nur durch die Gleichgestaltung mit ihm, durch den Eingang in seinen Lebens- und Sterbensvollzug erreicht.

Freilich interessiert sich Bonaventura nicht nur um der Welt willen für Gott und sein Handeln, er liest nicht nur vom ewigen Logos her, vom Frieden der Vollendung her, vom Kreuz her die Welt – beinahe noch wichtiger ist ihm das Umgekehrte: von der Welt her Gott lesen zu lernen, Welt lesen zu lernen als Weg zu

Gott, als Buch von Gott, als Wort, das nicht nur sich, sondern zuerst und zuletzt ihn sagt. Beides hängt konsequenterweise bei Bonaventura zusammen, ja man kann sagen: es fällt zusammen. Seine Logik ist als Logik der Liebe Logik des Aufeinanderzu, der Gegenseitigkeit und Gegenwendigkeit, und nur in solcher Gegenseitigkeit und Gegenwendigkeit integriert sich das Verhältnis zwischen Gott und der Welt und somit das Bild Gottes in der Welt.

Gerade solche Gegenwendigkeit aber ist Ursprung der Dramatik, in welcher das Hinweg von der Welt und Hinein in die Welt miteinander verspannt sind. Das Hinein in die Welt erfordert die Distanz zu ihr: „Wenn zur Erkenntnis der Kreatur nur zu gelangen ist durch das, wodurch sie geschaffen wurde, dann ist es notwendig, daß das wahrhafte Wort dir vorausgehe (Sir 37,20)."[66] Nur der Abstoß von der Unmittelbarkeit zur Welt deckt ihre Aussage auf. Zwar ist die allgestaltige Weisheit Gottes „ausgegossen in jedes Ding; denn jedes Ding hat gemäß seiner jeweiligen Besonderheit sein Weisheitsmaß und zeigt die göttliche Weisheit; und wer alle Besonderheiten wüßte, der sähe diese Weisheit selbst offenliegend"[67]. Und doch folgert Bonaventura, im Blick auf die Erfahrung Salomos, der die Weisheit im Maße seines Zugriffs fernerrücken sah: „Wenn nämlich einer durch neugieriges Durchforschen der Kreaturen sich daran gibt, diese Weisheit aufspüren zu wollen, dann weicht sie weiter zurück."[68] Nur der Gelassenheit, die sich nicht auf die Dinge fixiert, sondern zu ihrem Urgrund und Ziel hinblickt, lassen sich die Dinge. Allerdings fällt gerade das dem Menschen schwer; denn durch seine Wegwendung vom Schöpfer in der Sünde ist er ein gekrümmtes Wesen, das den Blick nicht mehr erheben kann[69]. Nur Jesus Christus richtet den Menschen wieder auf, so daß er die Welt so sehen kann, wie sie ist. Nur er gibt jenes Licht, durch welches das entstellte Buch der Schöpfung wieder verständlich und lesbar wird[70]. So kann die Integration der Welt nur durch das Werk Christi und die Nachfolge Christi erschlossen werden. Anders gewendet: Das Buch der Schöpfung, in dem Gottes Weisheit offenliegt, ist für uns „griechisch, barbarisch und hebräisch und gänzlich unverständlich in seinem Ursprung geworden", wir finden uns vor ihm „wie ein

Laie, der nicht lesen kann, ein Buch in der Hand hält und nichts damit anzufangen weiß"[71]. Darum aber bedarf es eines zweiten Buches, das dieses erste wieder lesbar macht, das dieses erste restituiert und integriert, nachdem das erste unserem Auge wie ausgelöscht und entzogen ist; und dieses zweite Buch ist das des unmittelbar an uns gerichteten Wortes in der Schrift. Durch sie kommt die Schöpfung wieder zum Leuchten, durch sie wird die in ihr verborgene Weisheit wieder lesbar auf Gott hin[72].

Genauso wie das Hinweg von der Welt die Bedingung der Zuwendung zur Welt wird – grundsätzlich, weil nur von Gott her die Dinge sind, wie sie sind, und konkret, weil der gefallene Mensch nur durch die Vermittlung Christi, der Gnade und der Schrift die Tiefe der Schöpfung ermessen kann –, ist glaubende Zuwendung zur Welt, christliches Hinein in die Welt Weg über sie hinaus, Weg, um Gott zu finden. Gerade das aber ist der Prozeß, den Bonaventura in seinem Itinerarium durchschreitet und der die Integration der Welt und die Kreuzesnachfolge in eins verschmilzt.

Ein heute sich aufdrängender Einwand: Wird Welt so nicht nur instrumentalisiert, wird Welt nicht bloße Durchgangsstation, werden die Dinge nicht abgewertet, wenn sie nur noch auf Anderes weisen und keinen Stand und Wert mehr in sich selber haben? Bonaventuras Denken reicht wiederum weiter: Gewiß, die Dinge sind Stufen, die Welt ist Durchgang; aber nicht nur *durch* die Welt und die Dinge, sondern *in* der Welt und den Dingen ist Gott auf je spezifische Weise zu finden. Jeder Punkt im Bild Gottes, das die Welt ist, ist Punkt auf einer Linie, die weiterführt, und doch Punkt, der gerade hier und gerade so „Endpunkt" ist, der in die Gestalt des Bildes selbst unersetzlich hineingehört. Die Weisheit Gottes ist nicht nur eingestaltig in den zwingenden Regeln, die allem Denken seine Eindeutigkeit verleihen, und nicht nur vielgestaltig in den vielfachen Ausdrucks- und Verstehensweisen der Schrift, sie ist auch allgestaltig „in den Spuren der göttlichen Werke", in der Schöpfung[73]. Gerade in der Besonderheit eines jeden Dings leuchtet sie auf, gerade das je Einmalige einer jeden Stelle im Gesamt der Schöpfung ist je einmaliges Zeugnis von ihm[74]. Eine Theologie der Schöpfung ist im Sinne Bonaventuras notwendig transitiv und intransitiv, aufs je Eigene sehend und je weiter als bis zum nur Eigenen sehend. Welt ist Bild und Wegweiser zugleich, wir könnten sagen: sie ist Sakrament, das an sich selbst Zeichen und doch Gegenwart dessen ist, was das Zeichen aus sich nicht vermag.

1.2 Itinerarium: Dynamik eines Weges

Das Itinerarium, die vielleicht am meisten gelesene Schrift Bonaventuras, zeigt einen Aufbau, der als solcher bereits Theologie der Welt im Sinne Bonaventuras ist. Dieser Aufbau, aufs erste schematisch wirkend, ist in jedem Glied und im Verhältnis der Glieder zueinander jedoch Weg, Steigerung, Geschehen. Ein „klassischer" Dreischritt steht im Hintergrund: Die Welt ist Spur (vestigium), Bild (imago) und Ebenbild (similitudo) Gottes[75]. Spur in allen, auch den materiellen Geschöpfen, Bild in den geistigen, Abbild in den gottförmigen, will sagen: von der Gnade durchformten Geschöpfen. Bonaventura greift diesen Dreischritt auf, verwandelt und steigert ihn aber im Itinerarium. Anknüpfungspunkt bietet ihm hier der von Augustinus am Schöpfungsbericht abgelesene Dreischritt: fiat (es werde), fecit (er ließ werden), factum est (es ward)[76]. Mit Augustinus interpretiert Bonaventura ihn auf das der Schöpfung vorgängige Eingeborgensein der Welt im Logos, im Wort, das in Gott und das Gott selber und das zugleich Urbild der Welt ist (fiat); auf das Gelichtet- und Mitvollzogenwerden der Schöpfung in der geistbegabten Kreatur, die sozusagen wahrnehmend, verdankend das Schöpfungswort nachzusprechen vermag (fecit); schließlich auf die in ihrem Bestand das Schöpfungswort fassende und wiedergebende Kreatur überhaupt, also auch auf das bloß Vorhandene, das nicht für sich, aber für den Menschen das Schöpfungswort nachspricht (factum est). Der Weg des Aufstiegs, den das Itinerarium durchmißt, setzt nun bei diesem bloß Gegebenen, dem materiellen Seienden an (vestigium, Spur), erhebt sich über das geistig Seiende, in dem Gott als solcher bewußt und offenbar wird und das sich in der gnadenhaften Teilnahme an Gott vollendet (imago, Bild), hin zu Gott selbst, wie er von sich her, in *seinem* Licht sich uns erschließt als der Eine und Dreifaltige (lumen, Licht). Von den verschiedenen Positionen zu uns selbst her betrachtet: der Weg führt vom extra nos (außer uns) über das intra nos (in uns) zum supra nos (über uns).

Diese drei Stufen werden in jeweils zwei Kapiteln entfaltet, weil jede Stufe sowohl eine Stufe des Durchgangs als eine Stufe des Verweilens darstellt: des Durchgangs, weil *durch* diese Stufe Gott sich erschließt, des Verweilens, weil *auf* dieser Stufe, *in* ihr Gott sich finden läßt.

Im 1. Kapitel geht es um die Erkenntnis Gottes *durch* seine Spur, also durch die Eigenschaften der Sinnendinge; das 2. Kapitel deckt Gott auf *in* dieser seiner Spur – merkwürdigerweise heißt das aber gerade: Das Verhältnis der Sinnendinge zu unserer Sinnlichkeit wird thematisiert, und in diesem Verhältnis wird die Anwesenheit Gottes aufgeschlossen. Das 3. Kapitel findet *durch* die Eigenschaften des Bildes, das wir selber sind, durch die Grundstruktur geistigen Seins hin zu Gott; das 4. Kapitel findet Gott vor *in* uns, in dem Bild Gottes, das wir sind, d. h. für Bonaventura aber: in der gnadenhaften Anwesenheit Gottes in unserem Innern, in seinem Eindringen durch die inneren Sinne in unser durch den Glauben erleuchtetes Herz. Das 5. Kapitel dringt *durch* das Licht über uns, in dem wir alles sehen, durch das Licht des Seins, vor zu seinem darin uns je schon einleuchtenden Grund, Gott dem Einen; das 6. Kapitel schließlich eröffnet *in* dem Licht, das Gott uns einsenkt, die innere Stimmigkeit der Botschaft vom dreifaltigen Gott, Trinität als das alles in sich befassende und zugleich entspringenlassende Urgeheimnis, auf das alle Erkenntnisse, die das Geschaffene vermittelt, hintendieren. Freilich wird Trinität nicht erst hier berührt; in jeder Phase des Weges ist das Letzte jeweils bereits das Hinlangen zum dreifaltigen Gott. Auf dem Niveau des 6. Kapitels gewährt dieser sich jedoch nicht mehr von außen, sondern von innen, von sich selbst her dem Denken.

So bezeichnen nicht nur die drei anfangs genannten Stufen, sondern auch die Steigerung *auf* jeder Stufe einen Weg, und dieser Weg führt auf jeder Stufe bereits dorthin, wohin der Weg des

Ganzen am Ende führt. Dennoch ist der Weg des Ganzen eine Steigerung gegenüber dem Weg auf jeder Stufe.

Das Eigentümlichste an solcher Dynamik bonaventuranischen Denkens: Nach dem 6. Kapitel folgt noch ein 7., das nicht Zusammenfassung, nicht geradlinige Weiterführung, sondern Abbruch, Umschwung bedeutet. Die letzte, alles andere integrierende Einung mit Gott, das Anlangen am Ziel ist nicht der höchste Schritt, den der Mensch von sich aus, wenn auch im Licht der göttlichen Gnade tun kann, sondern ein Schritt Gottes, der gerade im reinen Widerfahren, im reinen Sterben, in der Gleichgestaltung mit dem Gekreuzigten erreicht wird.

Der Zusammenhang des Ganzen und die Steigerung, die diesen Zusammenhang beherrscht, müssen indessen nochmals abgehoben werden von der mehr bestandhaften Inhaltsangabe und der schematischen Gliederung. Im ersten Gang ist der unterschiedliche Charakter des „Durch" und des „In" auf jeder der drei Stufen kennzeichnend. Wenn Gott *durch* die Dinge, durch die Momente unseres Selbstbewußtseins, durch die Analyse des Seinslichtes auf den in ihm anwesenden Grund angegangen wird, so hat die Betrachtung hier jeweils eine erschließende Funktion: es zeigt sich etwas an den Dingen, am Selbstbewußtsein, am Seinslicht, das in sich steht und zugleich auf Gott verweist, wobei solcher Verweis im Sinne Bonaventuras zunehmend jedoch Evidenz, Notwendigkeit beansprucht. Wenn Gott *in* den Dingen, in unserem eigenen Innen, in seinem eigenen Licht aufgespürt und ausgelegt wird, so hat dies einen grundsätzlich anderen Charakter: es handelt sich hier jeweils um eine Weise von Teilhabe, von Partizipation. Zunächst wird, im 2. Kapitel, die Beziehentlichkeit zwischen Sinnending und menschlichem Erkennen aufgedeckt, die Partizipation von Gegenstand und Erkennen aneinander, und sodann wird dieses Partizipationsgefüge selbst als Partizipation an Gott ausgelegt. Im 4. Kapitel wird eine unmittelbare Partizipation an Gott durch seine gnadenhafte Anwesenheit in der Seele und ihren inneren Sinnen entfaltet. Schließlich wird im 6. Kapitel Gottes Innerstes selbst als Partizipation, als Sich-Teilgeben in sich selbst, als dreifaltiges Leben erhoben.

In einem zweiten Gang zeigt sich, wie nicht nur von Stufe zu Stufe und von einem Schritt zum anderen innerhalb einer jeden Stufe die Ebene der Betrachtung sich hebt, sondern wie alle sieben Kapitel eine einzige Spannung ständigen und konsequenten Anstiegs durchzieht. Im 1. Kapitel geht es um die Dinge in sich, im 2. um die Dinge in uns und somit bereits um uns selbst im Außer-uns, im 3. um uns in uns selbst, im 4. um Gott in uns, im 5. um Gott in sich – aber von außen, im 6. um Gott in sich – nunmehr von innen, im 7. um das vollendende, gegenseitige Innesein von Gott in uns und von uns in Gott.

Erweitertes Modell von Nachfolge

Ist solche Dynamik aber Dynamik der Schöpfung oder nur des Gedankens über die Schöpfung? Von Bonaventura her müßte diese Frage als falsch gestellt gelten. Die Dynamik ist Dynamik des Weges, der im Aufstieg des Menschen die Schöpfung in ihr Eigenes hinein allererst vollbringt, dabei freilich ihre Stationen wahrend, sie so nehmend und stehenlassend, wie sie von sich her sind. Derselbe Weg, der die Schöpfung vom Menschen her im Hingang auf Gott integriert, ist aber auch, ja zuerst, Weg von Gott her, der den Menschen auf diesen Weg zieht, der ihm die Stufen gebaut und das Licht geschenkt hat, die diesen Weg und diesen Gang zugleich gewähren. Der Prolog des Itinerarium, an dem wir die Gleichzeitigkeit und Bezogenheit des Ansatzes von oben und von unten ermittelt haben, löst sich so ein: der Weg ist Vollzug des Ansatzes, er erwächst aus der Situation, die den Menschen auf den Weg schickt. Vom Ende schließlich, zu dem solcher Anfang führt, in der Konsequenz einer jeden Stufe und in der springenden Konsequenz des Ganzen, enthüllt sich der Weg als Weg der Nachfolge, Weg, der vom factum ist, vom Geschaffenen, über das fecit, über die menschliche Teilhabe am Schöpferwort, hingelangt zum fiat, zum alles ins Dasein rufenden Schöpferwort selbst, das so als Wort Gottes an uns ergeht. Das Wort, das uns in die Nachfolge ruft, ist das Wort, das die ganze Welt ins Sein ruft, und darum ist Nachfolge auch Gehen des Weges der Welt, *ihre* Integration.

Solcher Begriff von Nachfolge ist eine Erweiterung des ursprünglichen Sinnes; doch dies rechtfertigt sich, einmal da gerade der Rahmen des Itinerarium so deutlich auf Nachfolge, auf Botschaft, aufs Kreuz, auf die Repräsentanz des Evangeliums durch den Ruf des Franziskus verweist und in diesen Rahmen Bonaventura das scheinbar so Andere des Weges durch die Welt hineinspannt. Zum anderen ist es sinnvoll, Nachfolge so umfassend zu verstehen, da für Bonaventura eine strenge Gleichung nicht nur zwischen Jesus und dem Christus, sondern auch zwischen Christus und dem Logos, dem Urbild der Welt gilt; dieser Charakter des Sohnes geht in seine heilsgeschichtliche Position mit ein, durchdringt und erklärt sie, und so ist es nur konsequent, wenn die Nachfolge als ganze Nachfolge das ganze Christusgeschehen, auch seine theologische und kosmologische Dimension mit einbezieht.

Das so erweiterte Nachfolge-Modell umfaßt drei Pole, von denen jeder in wechselseitiger Beziehung zu jedem anderen steht: Gott, Welt, Mensch. Das Neue und Interessante hierbei ist gerade die Beziehung Welt – Mensch als relevant nicht nur für die Beziehung Welt – Gott, sondern auch für die Beziehung Mensch – Gott. Die Welt ist sie selbst in ihrem Eingang in den Menschen, der Mensch ist er selbst in seinem Ausgang in die Welt. So reicht Bonaventuras Modell einer Theologie der Welt über eine bloße Ordnungs- und Stufentheologie hinaus, greift seiner Epoche, dem jedenfalls, was als der klassische Inhalt seiner Epoche gilt, in Neuzeitliches, ja Heutiges voraus.

1.3 Gott finden durch die Welt und in der Welt

Wer das Itinerarium mitgeht, wird nur dann ganz finden, was Bonaventura zu geben hat, wenn er über die einzelnen Inhalte einerseits und über die bloße Schematik des Aufbaus andererseits zu jener Dynamik durchdringt, die sowohl die Schematik des Aufbaus als auch die scheinbare Zufälligkeit der inhaltlichen Details hineinschmilzt in die Bewegung, die die Pole Gott und Welt und Mensch zugleich umfaßt. Bleibt uns indessen die entscheidende

Frage zu stellen: *Wie* geschieht der Durchstoß durch die Welt und in der Welt zu Gott?

Greifen wir einzelne Inhalte des Itinerarium heraus, um exemplarisch an ihnen die Seh- und Reflexionsweise bonaventuranischer Weltbetrachtung sichtbar zu machen.

Die Eigenschaften der Dinge[77], die Bonaventura sowohl an der Analyse des einzelnen Seienden wie an der Gliederung der Geschichte wie auch am Stufenbau der Schöpfung abliest, konvergieren auf drei in ihnen bekundete Grundeigenschaften: Macht, Weisheit und Güte. Daß ist, was ist, daß das Seiende, das nicht aus sich selber ist, dennoch widerständig ist, stehenbleibt, mit sich identisch bleibt – dies ist der Hinweis auf die Macht, die sich bekundet, wo Sein des Seienden sich erschließt. Die Gliederung, die innere Strukturierung, die Einheit, die sich in einer Vielheit der Momente darstellt, entfaltet und auf sich selbst zurücknimmt, kurzum die Ordnung, die aufstrahlt, indem Seiendes als es selbst aufgeht – dies ist Kundgabe von Weisheit oder, wie Bonaventura mitunter auch sagt, Vorsehung, Kunst. Das Sein über sich hinaus, das mit dem Sein gegebene Sich-Geben des Seienden, seine Kommunikabilität, das Zum-Vorschein-Kommen von sich verströmender Fülle in dem, was ist – darin zeigt sich der Charakter von bonum, von Gut-Sein als gewährender Grundzug des Seins des Seienden an. Wo diese Grundzüge, wo ihre Verbindung miteinander wahrgenommen werden, da ist für Bonaventura der Überstieg über das bloß Einzelne und die bloße Summe alles Einzelnen schon geschehen, da gerät das Denken in den Zug eines Ursprungs, der in diesen nicht konstruierbaren, sondern je gegebenen und in allem Gegebenen sich gebenden Eigenschaften des Seins sich kundgibt. Auf dieser ersten Stufe ist es das Seiende, die Geschichte, das gestalthafte Ganze als Bestand, woraus der Urbestand und Urstand erhoben wird. Man ist erinnert an den vierten unter den fünf Wegen der Gotteserkenntnis bei Thomas von Aquin. Der Unterschied liegt nicht im Was, wohl aber im Wie: Thomas schlußfolgert – wenigstens der Form nach –, bei Bonaventura geschieht der Durchstoß im einfachen Hinschauen und Innesein. Die Unabweislichkeit solchen Sehens des Ursprungs im Entsprungenen liegt für Bonaventura offen. „Wer durch so hellen Glanz der geschaffenen Dinge nicht erleuchtet wird, ist blind; wer durch so lautes Rufen nicht aufwacht, ist taub; wer angesichts all dieser Werke Gott nicht lobt, ist stumm; wer aus all diesen Anzeichen den ersten Ursprung nicht gewahrt, ist töricht. Tu also die Augen auf, halte die Ohren des Geistes offen, löse deine Lippen und nähere dein Herz (Prov 22, 17), auf daß du in allen Geschöpfen deinen Gott suchest, hörest, lobest, liebest und anbetest, hochpreisest und ehrest."[78]

Wo Bonaventura *in* der „Spur" der Dinge Gott sucht, da geht er mit den Dingen ihren Weg ins menschliche Erkennen[79]. Dieser Weg verläuft in drei Stufen, die, vom Menschen her formuliert, heißen: Wahrnehmung (apprehensio), Genuß (oblectatio), Beurteilung (diiudicatio). Die Wahrnehmung geschieht in der Erzeugung des Wahrnehmungsbildes im Wahrnehmungsorgan. Die unmittelbare Folge, die von diesem Wahrnehmungsbild ausgelöst wird, ist der Genuß, ist die spontane Zustimmung zu dem (bzw. Abkehr von dem), was sich in der Wahrnehmung dem Wahrnehmenden antut. Der Wahrnehmende ist, auf sein Anderes gerichtet, nicht nur auf eine neutrale Rezeption von ihm unabhängiger Vorgänge, Gestalten, Gegenstände hin gerichtet, sondern auf eine Ent-sprechung. Etwas wahrnehmend, nehme ich das „Passen", das Verhältnis des spontan sich auf mich zu äußernden Anderen zu mir, zu meiner Spontaneität, zu meinem Interesse an mir wahr. Im Sinne Bonaventuras ist solches Interesse freilich nicht nur Interesse an mir, sondern in einem auch Interesse am Anderen, als gleichzeitiges Interesse aber Interesse am Verhältnis, an der Entsprechung – nur in der Entsprechung bin ich offen fürs Andere *und* ist mein Interesse an mir selbst gedeckt. Hier endet allerdings nicht der Prozeß, vielmehr folgt der entscheidende Schritt der Beurteilung, „durch die nicht allein beurteilt wird, ob dieses weiß oder schwarz sei – das ist Sache des Einzelsinns; auch nicht ob es heilsam oder schädlich sei – denn das ist Sache des inneren Sinnes; vielmehr wird beurteilt und Rechenschaft gegeben, warum dieses erfreut; in diesem Akt wird somit nach dem Grund des Wohlgefallens gefragt, das im Sinn vom Objekt empfangen wird. Das heißt aber: Fragt man nach dem Grund des Schönen, Angenehmen und

Heilsamen, so findet man: Dies ist das Verhältnis der Gleichheit (proportio aequalitatis)"[80]. Bei der Erörterung dieses „Verhältnisses der Gleichheit" stellt Bonaventura heraus, daß es sich hier um „Verhältnis" handle, Verhältnis als solches aber unabhängig sei von den sinnlichen Qualitäten, die in der jeweiligen Wahrnehmung eine Rolle spielen, doch nicht nur unabhängig von der Größe und Beschaffenheit des Wahrgenommenen, sondern unabhängig auch von der Zeit: Proportion ist als solche unzerstörbar („unabhängig also von Ort, Zeit und Bewegung, dadurch aber unveränderlich, uneingrenzbar, unbeendbar und ganz und gar geistig"[81]).

Das eigentlich Stabile, das unzerstörbare Urdatum des Seins wird von Bonaventura nicht als ein Substantielles oder gar als eine ins Unendliche gesteigerte Eigenschaft intuiert, sondern als „Beziehung in sich", „Verhältnis als solches". Er greift in diesem Zusammenhang auf Boethius zurück und bestätigt: „Die Zahl ist das vorzüglichste Urbild im Geist des Schöpfers (Boethius, De Arithmetica I f) und in den Dingen die vorzüglichste Spur, die zur Weisheit führt."[82]

Wie liest Bonaventura nun die Präsenz Gottes *in* seiner Spur? Zunächst unterscheidet sich Bonaventuras Vorgehen nicht von der Weise, wie er zu Gott *durch* die Spur gekommen ist: er parallelisiert das Wahrnehmungsgeschehen, wie schon aus der Reductio bekannt[83], mit der Hervorbringung des ewigen Wortes aus dem Vater. Auch mit dem Genuß verfährt er ähnlich: wenn es im Genuß um die Schönheit, um die Angemessenheit, um das Passen geht, dann – so zieht er die Linie aus – ist die ewige Kunst, ist der Sohn das „Passen", das Gefallende und Erfüllende, das Schöne, was Bonaventura mit Verhältnis und Angemessenheit gleichsetzt, schlechthin, eine Deutung, die sich seinem Verständnis des Logos als der Mitte genau einfügt. Bonaventura selbst hebt nun aber davon *den* Blick ab, der ihn von der „Beurteilung" – genauer: in ihr – zu Gott hinführt, wobei die beiden anderen Stufen des Weges freilich vorauszusetzen sind. Diese Beurteilung bezieht sich aufs sinnlich Wahrgenommene und Gefallende, doch sie bemißt es und hat somit einen Maßstab, den Maßstab der Proportionalität, des Verhältnisses, der das Urteil über die Varianten hinaushebt, auf die es sich bezieht. Vom Maßstab her, mit dem ich messe, ist aber nicht nur das Bemessene, sondern auch mein Bemessen der Willkür enthoben; ich stehe unter dem Maßstab, mit dem ich bemesse, er ist mir unverfügbar. Er, gerade er ist das, was im ganzen Prozeß der Vergänglichkeit, Veränderlichkeit enthoben, unzerstörbar, ewig ist. „Nichts aber ist gänzlich unveränderlich, uneingrenzbar, unabänderbar, außer was ewig ist; alles aber, was ewig ist, ist Gott oder in Gott."[84] In der Proportio, in der Enthobenheit des Verhältnisses, das unser Erkennen, unseren Lebensvollzug, unser Aussein auf die Welt, unsere Begegnung mit dem, was ist, prägt, geht die Gewähr von allem auf, geht Gott selber auf[85].

1.4 Bonaventuras Sehweise

Was springt aus den Beobachtungen am Text Bonaventuras für sein Seins- und Weltverständnis heraus? Wir fragen uns nach der spezifischen Sehweise, die seine Aussagen bestimmt, und wir fragen uns nach der Grundintuition von Sein, die sich in seiner Sicht auf die Welt durchsetzt.

Wie sieht Bonaventura?

Bonaventura ist ein Denker der Ein-sicht. Sein Blick verweilt auf dem, was ihm begegnet, und läßt es von sich her aufgehen. Wenn er am Anfang des Itinerarium dem Leser nahelegt, den Fortlauf seiner Betrachtungen nicht geschäftig zu durcheilen, sondern in höchstem Verweilen zu übersinnen[86], so kommt darin seine eigene Weise des Hinblicks zum Vorschein. Diese verweilend eindringende Hinsicht, diese verkostende Einsicht hat zwei Rückwirkungen aufs Sprechen: Zum einen gelingt ihm nicht selten die einen ganzen Denkvorgang verdichtende Formel, die vieles in eines sieht, zum anderen erwächst ihm eine Fülle von Bildern, weil das eine Wort den einen, gesammelten Blick des langen Hinschauens nicht einlöst. Man könnte, gerade im Blick auf einige der Analysen im Itinerarium, aber auch auf andere Schriften, von einer ungewöhnlichen phänomenologischen Genauigkeit, von einer Beobachtungsgabe Bonaventuras sprechen, die vielerlei Züge wahrnimmt und ineinanderfügt.

Die Tiefe solcher Einsicht ist freilich die Durchsicht auf den Ursprung. Wenn Bonaventura dazu ermahnt, nicht bei der Neugier, beim unmittelbaren Wissenwollen stehenzubleiben[87], wenn es ihm darum geht, von der ewigen Weisheit her, vom Ursprung her, von Gott her die Dinge zu sehen, so ist das nicht nur die Konsequenz aus theologischen oder philosophischen Prämissen, sondern artikuliert seine eigene Weise, an die Dinge heranzugehen: Wenn der Blick einmal auf das gefallen ist, woraufhin alles strebt, woher alles stammt und was allein den Einsatz des Lebens und Denkens lohnt, dann kann dieser Blick das nicht mehr loslassen, was er gefunden hat, dann ist die Orientierung auf den Ursprung hin die Achse, in der alles andere allein seine Perspektive gewinnt: Der gesamte Raum der Welt und des Seins wird von vielfältigen Gravitations- und Strukturlinien durchzogen, die auf die eine Mitte zustreben. Die Betrachtung im Hexaemeron über Christus als die Mitte ist die Formel dafür – Formel auch für das, was durchgängig die Sichtweise des Itinerarium prägt. Die tiefste Kraft solcher Durchsicht zum Ursprung kommt im 4. Kapitel des Itinerarium, dort also zur Sprache, wo Gott *in* seinem Bild, in der Seele, betrachtet wird: Es ist das Angeblicktsein von Gott, seine Näherung, sein Eindringen in uns durch Glaube, Hoffnung und Liebe, wodurch uns eine neue Sinnlichkeit des Geistes, neues Sehen, Hören, Fühlen, Tasten und Schmecken geschenkt wird, die Gott in allem und über allem gewahren[88].

Die Konzentration des Blickes auf den Ursprung, die Durchsicht auf den Ursprung, das läßt indessen aus Bonaventuras Denken nicht ein System werden. Der Blick in die eine Mitte gibt gerade den Blick auch in die Mitte eines jeden Dinges, eines jeden Vorgangs frei. Bonaventuras Sehen gegenläufiger Bewegungen wurzelt in der Wahrnehmung mehrfacher Ursprünglichkeit. Dies wiederum hat zur Folge, daß der eine Blick Bonaventuras auf verschiedene Ebenen fällt und sie in Beziehung setzt. Gleichnis, Entsprechung, Verhältnis, das ist nicht nur ein Grundinhalt seines

Denkens, es ist auch seine Grundform. So spielerisch im einzelnen die Übertragungen etwa zwischen Heilsgeschichte und Naturgeschehen erscheinen mögen, so konsequent ist solche Denkbewegung doch von ihrem Ansatz her.

Was sieht Bonaventura?

Dem Wie des Hinblickes entspricht sein Was, sein Woraufhin. Dieses Was durchläuft im Itinerarium eine innere Geschichte. Sie hebt an bei Eigenschaften des Seienden. Diese werden nicht zum Anlaß für eine von ihnen wegführende Spekulation, sondern sie werden vom Hinblick „bewohnt", sie werden auf das Substantielle in ihnen hin be-sonnen, bis der widerständige und urständige Kern in ihnen sichtbar wird, die unzerstörbare – nun nicht im Sinne aristotelischer Kategorienlehre verstanden – „Substanz". Wo liegt das Unzerstörbare, jenes, bei dem der Blick verweilen kann und nicht mehr weitergleitet, jenes, was als Urpositivum und Urdatum ihn selber trägt und birgt? Ein solches Schauen ist fasziniert vom Sein als der höchsten Perfektion und gewahrt in dieser Perfektion das Unbedingte und Ewige, das Göttliche. Was aber ist, das Seiende, erscheint als Widerspiegelung, als Teilhabe, als von dieser Urvollkommenheit her und auf sie hin zu lesen, als ihr defizienter, auf sie verweisender, auf sie zurückdrängender Modus.

Bonaventura *bleibt* bei solchem Hinblick, er gibt ihn nicht in irgendeiner Weise von Metaphysikkritik auf – und doch ist die Geschichte seines Blicks hier nicht am Ende, die Geschichte des Seins, das er wahrnimmt, hier noch nicht am Anfang. Das, bei dem der Blick verweilt, ist das, was den Blick selber anblickt, angeht; es stiftet Geschichte zwischen sich und dem Hinblick des Menschen, es ist als das Bleibende das Angehende, Geschehende, ist an- und überspringend. Das Sprechen von dem im Sein angehenden und aufgehenden Geheimnis wird so zum Gespräch, zum Sich-Rufenlassen und Rufen, die Substanz des Seins wird zur Spontaneität, zum Ursprung.

Aber auch dies ermißt noch nicht das Ganze. Wo springt und spricht das Bleibende, Unzerstörbare, Unbedingte an? Nicht nur im Wort der Heiligen Schrift, nicht nur in der äußersten Spitze der Erfahrung, sondern überall, gerade auch im Einfachsten und Alltäglichsten. Dort, wo das Alltäglichste, das Elementarste geschieht, das Sehen und Hören, Riechen, Tasten und Schmek-ken[89], das Eindringen der Dinge und Geschehnisse in den Innenraum des Menschen, die Eröffnung dieses Innenraums in den Außenraum der Welt, dort geschieht Begegnung mit dem Bleibenden. Denn *in* solcher Begegnung ereignet sich Entsprechung, deckt sich ein Zusammengehören, ein Verhältnis, eine Proportion auf, die so wenig zerstörbar ist, wie die Proportionen des Kunstwerkes es sind, das äußerlich zerstört wird, aber als unvergeßlich in der Erinnerung bleibt. Dieses Verhältnis selbst, genauer: das, was solches Verhältnis stiftet, die dem Auseinander des Verhältnisses entzogene, seine Pole gewährende und bindende Einfachheit ist das Bleibende. Es ist noch mehr als bloß das Eine: das Miteinander und Zueinander, das solche Einheit erst unzerreißbar eins macht. Die höchste Entfaltung dessen, die Entfaltung des Zugleich von eins und dreifaltig, die Einsicht in die höchste Einheit des Einen im Dreifaltigen werden uns noch eigens zu denken geben; das 5. und 6. Kapitel des Itinerarium sprechen davon.

Die „Geschichte" des Seinsverständnisses, welche die Pole Substanz, Ursprünglichkeit, Beziehung durchläuft, prägt das bonaventuranische Verständnis der Welt. Sie ist ihm stehende Ordnung, sich entfaltendes, bezeugendes und rückverweisendes Ursprungsgeschehen, schließlich geschehende Struktur, liebendes Zueinander vieler Ursprünge aus dem einen Ursprung und auf ihn hin.

Deutlich hebt sich die nachgezeichnete Weltsicht Bonaventuras von der etwa eines Thomas ab. Gewiß führt auch Thomas in seinen Aristotelismus den Gedanken der Teilhabe, der Partizipation aus platonischem Ursprung ein; gewiß gewahrt auch er in der Ursächlichkeit der Zweitursachen die bestätigende Präsenz der Erstursache und ihrer Mächtigkeit; gewiß gilt auch für ihn, daß das Licht unseres Intellekts, in dem wir alles erkennen, nichts anderes ist als eine Eindrückung des Lichtes der ersten Wahrheit[90]. Doch für ihn heißt Weg von der Welt zu Gott eben: Analyse der labilen

Konstitution des Seienden in sich, das – Sein als das Stabilisierende und Gewährende bezeugend, vor-zeigend – doch zugleich vorzeigt, in der Differenz zu diesem Sein zu sein, so daß der Überstieg zum reinen Sein, zu seiner reinen Ursächlichkeit ernötigt wird[91]. Das impliziert ein Seinsverständnis, dessen *Schwerpunkt* auf der stabilitas, auf der Substantialität, auf der Widerständigkeit des in sich Wirklichen und Wirkenden liegt, so daß die anderen Dimensionen, wiewohl gewahrt, demgegenüber zurücktreten. Bonaventura hingegen kann beim Seienden *verweilen,* um zum unbedingten Ursprung durchzustoßen, weil er schon bei diesem *ist.* Der Blick ist ruhiger, weniger bewegt als bei Thomas, das Gesehene darum gerade bewegter. Zwar braucht für Bonaventura die Unterscheidung zwischen Sein und Gott nicht erst thematisiert zu werden, die Schichten rücken in den einen Blick zusammen; doch was dem einen Blick aufgeht, ist gerade Beziehentlichkeit und ihr Geschehen.

Noch ein Letztes darf uns auffallen. Die innere Geschichte im Seinsverständnis des Bonaventura entspricht der inneren Geschichte seiner Logik, die, zunächst als Logik der Produktivität begegnend, sich zutiefst schließlich als Logik der Liebe entbirgt. In dieser ist die Logik der Produktivität integriert, aus der sich jene aber nicht erschließen ließe, wäre nicht der frühere und tiefere Blick insgeheim bereits auf die Logik der Liebe gefallen. So steht es auch mit dem Verhältnis zwischen Sein als vollkommenem Stand und Bestand und Sein als Verhältnis und Beziehung, letztlich als Liebe. Stand und Bestand bleiben, ja das einzig Bestehende und Stehende ist die Beziehung, das Verhältnis, die Liebe; doch ist nicht das Verhältnis vom Bestand, sondern ist der Bestand vom Verhältnis her zu denken.

1.5 Die Weltsicht Bonaventuras und unsere Weltsicht

Stringent und faszinierend in sich selber, drängen uns Bonaventuras Sicht der Schöpfung und das sie inspirierende Seinsverständnis doch die Frage auf: Wie steht sein Weltverständnis zu dem unseren? Ist seine Konzeption für uns mehr als eine interessante

Perspektive in einen anderen, für uns nicht mehr im Ernst erreichbaren geschichtlichen Raum? In *einem* Punkt zumindest berühren sich die Horizonte: Bonaventura – das zeigte unsere Analyse der Gliederung des Itinerarium – sieht die Welt nicht als einen bloßen Inbegriff geordneter Objektivität, welcher der Mensch als Beschauer gegenübersteht oder in die er als in eine äußere Gesetzmäßigkeit eingebunden ist; Welt selbst ist Beziehungsraum, in dem das Zusammenspiel der Dinge und des Menschen sich begibt. Welt ist, was sie für den Menschen und im Menschen ist; die Rezeption durch den Menschen und der Entwurf durch den Menschen gehören zu dem, was die Welt selber ist, hinzu.

Dennoch bleibt in mehrfacher Hinsicht der Eindruck des Befremdlichen zurück. Der Hauptgrund: Unsere Welt ist immer mehr zur „gemachten" Welt, zur bloß entworfenen Welt geworden, in welcher das nicht vom Menschen Produzierte nur Material fürs Produzieren und Bewährungsfeld für die vom Menschen entworfene Theorie ist – und das, was sich solcher Theorie oder der aus ihr resultierenden praktisch-technischen Bewältigung entzieht, ist ein Widerständiges, das es in gestaltbare Materie zu verwandeln gilt. Die Relation zwischen Welt und Mensch, bei Bonaventura gegenseitig, hat sich mehr und mehr auf die Seite des Menschen als aktiven Partes allein verlagert. In der Neuzeit wird die Welt zur Tat menschlicher Freiheit, aber gerade dadurch zum geschlossenen System.

Dann freilich ist der Gedanke, daß die Dinge von sich her „Gott" rufen, ein nicht mehr nachvollziehbarer, der Weg durch die Welt zu Gott ein ungangbarer geworden. Das meint nicht eine prinzipielle Unmöglichkeit natürlicher Gotteserkenntnis, wohl aber das Wegrücken ihrer Grundlagen aus dem Erfahrungsbereich des Menschen. Die Schwierigkeit, durch die Welt zu Gott zu finden, die Schwierigkeit also, die Welt gerade so zu verstehen, wie Bonaventura es vorschlägt, gründet in zwei Umständen. Einmal in der Geschlossenheit der Welt, deren zwei Spielarten heißen: alles ist, was es ist, nur vom Menschen her, aus der konstitutiven Kraft seiner Hinsicht und in der produktiven Kraft seiner Gestaltung, bzw. umgekehrt: alles ist verspannt in einem objektiven Kausalnexus, eines kommt vom anderen her, und es ist entweder nicht möglich oder nicht nötig, hinter diese endliche Ursachenreihe nochmals zurückzufragen. Beide Spielarten laufen im Grunde auf dasselbe hinaus, die Geschlossenheit der Objektivität und die Geschlossenheit der Subjektivität gehen letztlich aufs Modell der sich selbst setzenden Subjektivität zurück, sei es die des Menschen, sei es die des Weltsubjekts. Zum anderen zerfließen in einer so konstruierten Welt die Eigenschaften der Dinge, weil eben das zergeht, was die Dinge zu eigen haben. Das qualitative Moment löst sich auf in die Errechenbarkeit aus dem alles setzenden und erklärenden Prinzip; damit wird das Qualitative ersetzt durch das Quantitative. So aber findet sich nichts mehr in der Welt, woran sich das unbedingte Andere ihrer selbst repräsentieren, bezeugen könnte. Doch wie steht dazu nun die Aussage Bonaventuras, daß die Zahl die höchste Spur Gottes in der Schöpfung sei? Mögliche Nähe zu unserer Welterfahrung verbindet sich hier mit dem schärfsten Gegensatz: Zahl ist für Bonaventura gerade eine qualitative, nicht eine neutrale Dimension[92].

So scharf die gezeichneten Züge ins wissenschaftliche und praktische Weltbewußtsein heute einschneiden, so unübersehbar werden sie doch von gegenläufigen Zügen kontrastiert, die zunehmend das menschliche Selbst- und Weltverhältnis bestimmen. Einmal ist der Mensch wieder auf der Suche nach verlorenen Ursprüngen, nach dem, was sich als nicht nur von ihm gemacht ausweist; er bedarf gerade dessen, worüber er nicht verfügen kann, um für sich selber nicht unwirklich zu werden und die Welt in dieselbe Unwirklichkeit seiner selbst zu verlieren. Zum anderen wird ihm die total durchsichtige Welt zur total verwirrenden Welt; die Selbstpotenzierung seines Untersuchens und Herstellens zerspaltet die Welt in unzählige Sektoren und Schichten, löst sie auf ins Nebeneinander unzähliger Sonderwelten. Was fehlt, ist die Orientierung; was fehlt, ist der Weg, der das Postulat und die Erfahrung des Horizontes der einen Welt einlöst im konkreten Umgang mit der Welt. Der Mensch sucht seinen Weg durch die selbstgemachte Welt, und er sucht ihn zugleich als Weg zu einer Welt, die nicht nur er gemacht hat.

Hier kann uns die Begegnung mit Bonaventura weiterhelfen. Wir werden nicht unvermittelt seine Denkweise zu der unseren machen können, wohl aber können wir mit seinen Augen aus unserer heutigen Perspektive die Welt neu sehen lernen. Er gibt uns zwei Hinweise zumal. Der eine: das eigentlich Bleibende enthüllt sich ihm als Proportion, als Struktur; *die* Eigenschaft, in welcher zunächst Gott berührbar wird in der Schöpfung, ist für ihn die Beziehentlichkeit, die Polarität, das Aufeinanderzu, ohne das es Welt und Mensch nicht gibt. Wird nicht auch für uns immer deutlicher, daß wir selber und die Welt nur dann der Auflösung der Welt und der Entfremdung des Menschen entrinnen, wenn wir die unverfügbare Polarität, die gegenseitige Rezeptivität und Ursprünglichkeit von Mensch und Welt wahren? Ist solche Unzerstörbarkeit nicht ein unabweisbares Postulat, in dem sich gleich unabweisbar ontologische Herkunft bekundet? Der zweite Hinweis: die Reduktion, welche die Welt in den Menschen und den Menschen in die Welt hinein auflöst, ist nur vermieden, die Unableitbarkeit der beiden Pole in ihrer wechselseitigen Beziehung ist nur gewährleistet durch den dritten Pol, der den Menschen und die Welt einander und der sich zugleich beiden als Ursprung, Mitte und Ziel zuschickt: Gott. Die Sicht der Welt von Gott her, der Weg in die Welt von Gott her und der Weg durch die Welt zu Gott sind nicht Nivellierung der Autonomie des Menschen und der Welt, sondern gerade die Freisetzung von Welt und Mensch an sich und aneinander. Glaube, der sich der Welt zuwendet, ist nicht integralistisch, sondern integrierend.

In Bonaventuras Welt- und Seinsverständnis begegnen wir so, zumindest im Ansatz, einer Alternative zu einem bloß monistischen und reduktiven Verständnis, einer Alternative des weiteren zu einem bloß objektiv-hierarchischen, aber auch zu einem abstrakt-dialektischen, das Welt und Mensch im Blick auf Gott auseinanderreißt und so den Menschen selber in seine gott-lose Weltlichkeit und seinen existentiellen Glauben auseinanderreißt. Bonaventuras Theologie der Welt bewährt ihre integrative Kraft.

2. Theologie als Wissenschaftslehre

2.1 Zusammenhang von Welt und Wissenschaft

Die Welt ist Welt in ihrem Aufgang in den Menschen, der Mensch ist Mensch in seinem Ausgang in die Welt. Diese Verknotung der bonaventuranischen Wege durch die Welt erklärt, weshalb nicht nur Welt als objektiver Bestand, sondern menschliches Wissen von der Welt, systematisch betriebenes Wissen als Wissenschaft für Bonaventura von hohem Interesse ist, aber eben von Interesse in der Orientierung auf den dritten Pol des Gefüges zu, in welchem Welt und Mensch innestehen: auf Gott zu. Theologie erhält die Aufgabe, eine Wissenschaftslehre zu entwickeln; Wissenschaft wird auf ihre theologische Ermöglichung und ihren theologischen Stellenwert befragt. So aktuell diese Problemstellung ist, die Lösungen, die Bonaventura anbietet, rücken noch weiter als seine unmittelbare Reflexion über die Welt von unserem Denk- und Erfahrungshorizont hinweg. Mittelalterliche und neuzeitliche Wissenschaft sind ohnehin kaum auf denselben Nenner zu bringen; Bonaventura aber macht uns erst recht ratlos mit seinen kunstvollen Querverbindungen der Wissenschaften untereinander und ihrem Verständnis als Spiegelung der Grundinhalte und Grundmethodik von Theologie. Die beiden Partien in seinem Werk, die sich besonders eindringlich mit der Thematik der „Wissenschaftslehre" beschäftigen, die kleine Schrift De reductione artium ad theologiam, von der Rückführung der Künste auf die Theologie, und der Abschnitt am Anfang des Hexaemeron über Christus als die Mitte der Wissenschaften[93], lassen über ihre kunstvolle Fügung staunen, informieren über manche Aspekte damaliger Wissenschaft, aber sie prallen an unserem heutigen Methodenbewußtsein als scheinbar unerheblich ab.

Wir wollen uns dennoch auf die Vermittlung einiger Grundaspekte einlassen, und dies gerade im Blick auf die heutige Wissenschaft, auf die Fragen und Anforderungen, die sie an unser Menschsein stellt. Solche Vermittlung erfordert freilich noch mehr als bei anderen Stücken eine Übersetzung, eine Konzentration aufs für uns Wesentliche, ein Gespräch, das sich nicht in Exegese erschöpft.

2.2 Zusammenhang von Theologie und Wissenschaft

Bei der Durchsicht der Reductio beschränken wir uns auf zwei Punkte, die allerdings Idee und Gliederung des Ganzen bestimmen: auf das Schriftverständnis, welches das Verständnis der Theologie trägt, sowie auf die Gesichtspunkte, unter denen die verschiedenen Erkenntnisvollzüge, Produktivitäten und Wissenschaften – die im Begriff der „artes", der „Künste", zusammengefaßt sind – betrachtet werden.

Dreifacher Schriftsinn: Kurzformel von Theologie

„In allen Büchern der Heiligen Schrift gibt sich außer dem buchstäblichen Sinn, den die Worte äußerlich verlauten lassen, ein dreifacher geistlicher Sinn zu verstehen: der allegorische, der uns belehrt, was zu glauben ist von der Gottheit und Menschheit; der moralische, der uns belehrt, wie wir zu leben haben; der anagogische, der uns belehrt, wie Gott anzuhangen ist. Daher lehrt die ganze Heilige Schrift dieses Dreifache: die ewige Zeugung Christi und die Inkarnation – die Ordnung des Lebens – die Einung Gottes und der Seele. Das erste betrifft den Glauben, das zweite die Sitten, das dritte beider Ziel. Um das erste muß sich der Eifer der Lehrer, um das zweite der Eifer der Prediger, um das dritte der Eifer der Beschaulichen mühen."[94]

In dieser Sicht kommt mehr zum Vorschein als ein überholtes Schema. Hier werden die Dimensionen des Wortes Gottes ausdrücklich gemacht, die nur in ihrer gegenseitigen Unterscheidung und Ergänzung Theologie unverkürzt gewährleisten: Botschaft – Gebot – Angebot; anders gewendet: Ur-kunde – Anforderung – Verheißung. Die innere Geschichtlichkeit des Wortes Gottes tritt zutage: Verkündigung dessen, was von Gott her geschehen ist, Herkunft des Glaubens aus Gottes Handeln – der Ruf Gottes zu dem, was jetzt geschehen soll, Ankunft, Gegenwart seines Wortes in Entsprechung und Nachfolge – Ansage und Eröffnung dessen, was geschehen wird, Einbruch der Zukunft Gottes in unser Dasein. Die vielen Botschaften werden lesbar auf die eine Botschaft: Gott ist Sich-Geben und gibt sich uns; die vielen Gebote werden lesbar aufs eine Gebot: Nachfolge dessen, der die Liebe Gottes zu uns und unsere Liebe zu Gott ist [95]; die vielen Verheißungen werden lesbar auf das eine, was geschehen soll: die ganze Gemeinschaft des ganzen Menschen mit dem ganzen Gott. Alles wird Explikation der einen Logik der Liebe: Liebe, die sich verschenkt, Liebe, die uns einfordert zur Gegenseitigkeit, Liebe, die Zweiheit wahrt und Einheit vollendet. Bonaventura gelingt so eine Kurzformel von Theologie, die nichts verkürzt und in allem den Weg zur einen Mitte freilegt.

Parallele in der Konstitution der Wissenschaften

In breiterer Variation und doch durchsichtig auf eine einzige Grundstruktur hin werden von Bonaventura auch die Künste – die methodischen Wege menschlichen Wissens und Hervorbringens – durch drei entsprechende Dimensionen konstituiert [96]. Am Text läßt sich der theologisch gewonnene Dreischritt von Genesis, Norm (als Nomos = Gesetzmäßigkeit und Methodos = Weg der Entsprechung) und Synthesis auf drei verschiedene Ebenen der Wissenschaft hin lesen – Bonaventura wechselt zwischen diesen Ebenen und hebt sie nicht eigens voneinander ab; wir dürfen kondensierend und transponierend sie aus seinen Analysen herausschälen. Die Ebenen sind: Konstitution der Sache – Konstitution des wissenschaftlichen Erkennens – Konstitution des Bezugs zwischen der Wissenschaft und dem Ganzen menschlichen Daseins. Auch das Ineinanderspielen dieser Ebenen ist von Belang für eine integrale Wissenschaftslehre in der Konsequenz Bonaventuras, da die Beschränkung auf nur eine dieser Ebenen oder die Auslassung einer dieser Ebenen Wissenschaft selbst um ihre Integralität brächte.

Konstitution der Sache: Was die Sache einer Wissenschaft zu ihr selber macht, wie in einem von der Wissenschaft beobachteten

Sach- oder Lebensbereich die thematisierten Gegenstände zustande kommen, welches die Gangart der hier zu rekonstruierenden Prozesse ist, Genesis also ist die Sache von Wissenschaft in erster Potenz. Die Nomik (innere Gesetzmäßigkeit) eines jeden Sachbereiches ist die zweite Potenz; die Frage lautet: In welchen Zusammenhängen spielen Vorgänge und stehen Gegenstände, nach welchen Regeln gestalten sich die Beziehungen, die zur jeweiligen Sache gehören? Wie verhält sich die Sache zu ihrem Umfeld, zum Gesamt der Sachen? Synthetik schließlich ist die dritte Potenz: Wie kommt es zu Einheits-, Horizont- und Kontextbildungen, Zusammenschlüssen, Verschmelzungen, „Ergebnissen" im jeweiligen Sachbereich?

Konstitution des wissenschaftlichen Erkennens: Genetik, Methodik und Synthetik gehören wiederum zusammen. Genetik meint: die Konstitution der Sache im Erkennen, ihr In-Erscheinung-Treten, der Weg, auf dem sie zum Datum und Positivum wird. Methodik meint: die Gesetzmäßigkeit, nach der es hier zur Erkenntnis kommt, die Anmessung der Erkenntnisweise an den Gegenstand und an die innere Logik der ihm in der jeweiligen Wissenschaft entgegenzubringenden Frageweise. Synthetik meint: die Gewinnung und Fassung des Ergebnisses, die wissenschaftliche Formulierung der mit Hilfe der Methodik aus der Genetik gewonnenen Konsequenz. Es sei vermerkt, daß Genese, Nomik und Synthetik der *Sache* von Wissenschaft auch jeden einzelnen der drei Schritte in der Konstitution von Wissenschaft bestimmen.

Konstitution des Außenbezugs der Wissenschaft: Der genetische Schritt ist hier die Genese der Wissenschaft selbst, ihre Fassung in eine kommunikable Gestalt, in ein verstehbares Ergebnis. Der nomische Schritt geschieht in der Frage an die jeweilige Wissenschaft und ihre Ergebnisse, was sie praktisch bedeuten, wie sie praktisch umgesetzt werden können, wie ihnen praktisch Rechnung getragen werden muß. Der synthetische Schritt ist die Einbringung der Wissenschaft ins Gesamt menschlichen Lebens, die Bewältigung von Steigerung und Gefährdung, die der Fortschritt von Wissenschaft je in sich birgt, die Orientierung der Wissenschaft selbst im Rückstoß auf jene Ziele und Werte, die sie als menschliche im Gesamt des Menschlichen gewährleisten.

Was soll indessen – einmal formal betrachtet, sozusagen im Kontext von Wissenschaftstheorie – die Parallelisierung zwischen den Dimensionen der Theologie und den Schritten der Wissenschaft in der Konstitution ihrer Sache, ihres Erkennens und ihres Außenbezugs? Die Antwort sei hier erst angedeutet: Bonaventura stellt den Kontakt zwischen Wissenschaft und Theologie nicht auf die Weise her, daß er aus einer Analyse der Wissenschaft Konsequenzen für die Theologie oder aus einer Analyse der Theologie Konsequenzen für die Wissenschaft schlußfolgernd ermittelt oder daß er aus einem Gesamtaufriß von Theologie Ansätze, Methoden und Differenzen der einzelnen Wissenschaften herleitet; vielmehr entfaltet er zunächst – dies konnten wir in unserem Zusammenhang überspringen – aus den vier Richtungen des Lichtes, das uns erleuchtet und in dem wir alles sehen[97], die verschiedenen Künste, also Erkenntnis- und Produktionsweisen. Dabei gewinnt er abschließend, als die Explikation des „oberen Lichtes", die bereits dargestellte dreifache Struktur von Theologie als Lehre vom allegorischen, moralischen und anagogischen Schriftsinn. Die Intuition dieser Struktur von Theologie ist zugleich Intuition ihres möglichen Modellcharakters für die zuvor erörterten „Künste". Die Momente von Genetik (allegorischer Schriftsinn), Nomik bzw. Methodik (moralischer Schriftsinn) und Synthetik (anagogischer Schriftsinn) werden zum Deuteangebot für Struktur und Aufgabe der „Künste". Derselbe Blick Bonaventuras erreicht so die Grundstruktur der Theologie von ihrer Sache her und den Rhythmus menschlicher Produktions- und Erkenntnisvollzüge. Es gelingt ihm, diesen Rhythmus auf die theologische Struktur hin zu lesen und so die Struktur der „Künste" ihrerseits sichtbar zu machen. Der Erkenntnisvorgang hat die drei Schritte: theologische Grundintuition – Anvisieren des phänomenalen Befundes im Bereich der „Künste" – Synthese im theologisch gewonnenen Modell, das die Phänomenalität der „Künste" integriert, aber nicht subsumiert, das sich somit als „zweiursprünglich", aus dem Eigenen der Künste und dem der Theologie zugleich, bewährt.

2.3 Christus Mitte aller Wissenschaft

Tiefer in die inhaltliche Problematik menschlichen Wissens und seinen Zusammenhang mit der Botschaft von Jesus Christus führt uns der Abschnitt des Hexaemeron über Christus als die Mitte der Wissenschaften[98]. Die formale Orientierung erschließt wiederum das Interesse, das Bonaventura bei seinem kunstvollen, nur scheinbar künstlichen Aufriß leitet.

Bonaventura nimmt sieben Wissenschaften in den Blick, die in ihrer Abfolge einen Weg markieren[99]: Metaphysik; Physik (Naturwissenschaft im ganzen); Mathematik (vor allem als Geometrie); Logik (einschließlich der Lehr- und Überzeugungskunst); Ethik; Politik mit Rechtswissenschaft; schließlich Theologie. Metaphysik, Theologie und Logik, der Anfangs-, End- und Mittelpunkt dieser Reihe, strukturieren das Ganze, sie leisten Grundlegung, Ziel und Vermittlung des Wissens überhaupt. Wird die Reihe als Kreisbewegung gelesen, so bezeichnen Metaphysik und Theologie den obersten Punkt, der das eine Mal Ausgangs-, das andere Mal Endpunkt ist; Logik den untersten Punkt als den des Umschlags zum Wiederaufstieg. Auf der absteigenden Hälfte der Kreisbewegung sind die Wissenschaften situiert, die sich mit dem Äußeren bzw. Ausgedehnten, mit den Gegenständen beschäftigen: Physik und Mathematik. Auf der ansteigenden Hälfte der Kreisbewegung sind die praktischen, aufs menschliche Verhalten und die menschliche Gemeinschaft bezogenen Wissenschaften situiert: Ethik sowie Rechts- und Staatskunst.

Typisch für die Sicht der einzelnen Wissenschaften ist nun, daß sie auf eine immanente Mitte und auf eine transzendierende Mitte hin gelesen werden. Die immanente Mitte zentriert den Bereich, das Feld der jeweiligen Wissenschaft auf eine Grundeigenschaft, die durch eine Grundbewegung erreicht oder vermittelt wird. Die transzendierende Mitte ist jeweils Christus in einer seiner heilsgeschichtlichen Positionen. Diese heilsgeschichtlichen Positionen beschreiben ihrerseits dieselbe Kreisbewegung wie die Wissenschaften: Christus ist Mitte der Metaphysik in seiner ewigen Zeugung, der Physik in seiner Menschwerdung, der Mathematik in seiner Passion, der Logik im Wendepunkt der Auferstehung, der Ethik in seiner Himmelfahrt, der Rechts- und Staatskunst im künftigen Gericht, der Theologie in der ewigen Beseligung.

Machen wir nun noch die Bereiche der einzelnen Wissenschaften und ihre jeweilige immanente Mitte namhaft. Der Bereich der Metaphysik ist der des Seins, seine Mitte ist das Erste, die zugehörige Bewegung die ewigen Ursprungs. Der Bereich der Physik ist jener der Natur, seine Mitte ist das Starke (pervalidum), vermittelt durch den Ausstrom der Kräfte. Der Bereich der Mathematik ist der des Abstands, der Ausdehnung, seine Mitte ist die Tiefe, vermittelt in der Bewegung zentrifugaler und zentripetaler Position. Der Bereich der Logik ist jener der Lehre, des Sprechens, seine Mitte ist das überzeugend Klare, vermittelt in der Bewegung rationaler Offenlegung. Der Bereich der Ethik ist der des sittlichen Maßes, seine Mitte ist das je Bessere, vermittelt in der Bewegung sittlichen Wählens. Der Bereich von Recht und Politik ist Gerechtigkeit, seine Mitte das Erhabene, vermittelt durch die Bewegung richterlichen Wägens. Der Bereich der Theologie ist die Eintracht, ihre Mitte der Friede, vermittelt in allumfassender Versöhnung.

Was steht hinter solchen Zuordnungen? Die dynamische Ordnung des Ganzen in eine einzige Bewegung des Ab- und Aufstiegs, der Zusammenhang aller Bereiche und Wissenschaften weist auf die Überzeugung Bonaventuras hin, daß es in jedem, auch in jeder Wissenschaft, ums Eine, ums Ganze geht. Ein bloßes sektorenhaftes Nebeneinander ohne Beziehung ist dem nicht denkbar, der alles, der die Welt auf die Weise des Weges, des Aus- und Heimgangs ermißt. Einzelne Bereiche sind Wegbereiche, Wissenschaften sind jeweilige Umschau im Horizont des Ganzen. Dennoch fließen die Stationen, Horizonte und Perspektiven nicht beliebig ineinander über; in der Bewegung des Ganzen bilden sich unterscheidbare Bereiche heraus, die ihre Kontur durch eine je eigene Gangart, durch ein je eigenes Verhältnis zum Ganzen, die somit auch einen je eigenen Schwerpunkt erhalten. Dieser Schwerpunkt ist Qualität, Wissenschaft ist Entfaltung von Qualitäten. Solche Qualitäten aber sind Weisen der Anwesenheit des Ganzen im Teil, im Bereich. Wodurch aber ist das Ganze anwesend? Nicht einfach durch eine formale Generalisierbarkeit der jeweiligen Methode, der jeweiligen Hinsicht auf alles, was ist; vielmehr dadurch, daß es in allem um den Menschen geht, daß alle Bereiche menschliche Bereiche, ja sogar: den Selbstvollzug des Menschen auslegende und bestimmende Bereiche sind. Man könnte von einem „anthropomorphen" Weltbild sprechen, aber ist solcher Anthropomorphismus Relikt eines überwundenen oder nicht eher Vorbote des heutigen Weltbilds? Diese menschliche Relevanz eines jeden Bereichs wird bestätigt und über sich hinaus gesteigert durch die transzendierende Mitte einer jeden Wissenschaft, durch Jesus Christus. In ihm wird die Dreipoligkeit, die als zur Welt gehörend uns bereits auffiel, ausdrücklich eingetragen in die Konstitution der Wissenschaften: Indem sie Dimensionen der Welt zum Menschen und Dimensionen des Menschen in die Welt hinaus artikulieren, artikulieren sie auch den Bezug von Welt und Mensch zu Gott, von Gott zur Welt und zum Menschen.

Bemerkenswert, daß sich in diesem Zusammenhang Bonaventura gerade nicht mit einer metaphysisch-kosmologischen Christologie begnügt. Der Weg der Welt und der Weg durch die Wissenschaften wird ein Weg nicht nur von Christus her und auf ihn hin, sondern er wird zum Weg mit dem Weg Christi. Die heilsgeschichtlichen Differenzen, die Christus je anders als Mitte in die einzelnen Wissenschaften einweisen, entstammen nicht nur mittelalterlicher Erzählfreudigkeit, sondern sie drücken den je konkreten Bezug der in den einzelnen Wissenschaften reflektierten Lebensräume zum Gott-Menschen aus.

Lebensbezug und Christusbezug der Wissenschaften

Gehen wir nun mit Bonaventura die einzelnen Wissenschaften durch.

Metaphysik[100] artikuliert jenes Fragen des Menschen, das vom Einzelnen und Vorfindlichen zum Sein überhaupt und zum Letzten und Tragenden des Ganzen durchzustoßen sucht. Diese Bewegung kommt nur in dem zur Ruhe, was nicht mehr nötig macht, hinter es zurückzufragen, und was zugleich als integrierender Ursprung alles in seine Einheit bindet und in seine Verstehbarkeit hebt. Die bloß von der eigenen Frage und von der eigenen Erfahrung her ereichbaren Antworten des Menschen sieht Bonaventura nun in einer Antwort „aufgehoben", die nicht der Mensch sich selber gibt, sondern die sich von sich her, aus unbedingtem Ursprung her diesen Fragen zumißt, das einholend und überbietend, was sie aus Eigenem des Menschen schon an Antwort zu finden vermochten. Der Ursprung Gottes zu sich als Ursprung seiner Freiheit zum Anderen, die Ermöglichung und die Einheit der Schöpfung in der reinen Mächtigkeit der ewigen Kunst, das ist die uns schon vertraute Antwort, die Bonaventura hier gibt.

Physik [101] ist als Wissenschaft von der Natur für Bonaventura zutiefst Wissenschaft vom Leben, und dies in doppelter Dimension: Wissenschaft von der Welt, dem Makrokosmos als dem Lebensraum, in dem sich der Lebenszusammenhang als organischer wie auch als geschichtlicher erbildet; Wissenschaft vom Menschen, vom Mikrokosmos, der den Lebenszusammenhang des Makrokosmos in korrespondierender Ursprünglichkeit wiederholt. Leben selbst ist Quelle und Kraft, und Leben kann nur dort gelingen, wo Verbindung mit der Quelle die Kommunikation der Kraft ermöglicht. Menschwerdung bedeutet nun, daß Leben – Leben der Welt und Leben des Menschen – eine neue Mitte erhalten haben: den, der das Leben ist und der sein Leben zu unserem Leben machen will. Physik im bonaventuranischen Sinn hat so von sich selber her einen christologischen Bezug. Sofern es ihr ums Leben geht, steht sie in Konsonanz mit dem, der dieses Leben will, der dieses Leben mit seinem eigenen Leben substantiiert, bejaht, verwandelt und vollendet. Allerdings heißt dies – um die von Bonaventura bei anderen Wissenschaften ausgezogenen Linien auch hier auszuziehen –, daß Physik einer „Physik in zweiter Potenz" bedarf: jener Verbindung mit dem, der das Leben ist. In solcher Verbindung versteht sie sich als Dienst am Leben, der sie – auf heute gewendet – darum besorgt sein läßt, daß die Quellen des Lebens in der Welt und im Menschen nicht verstopft, nicht in beliebiger Verfügung entfremdet und zerstört und daß der Mensch von ihnen nicht abgeschnitten wird. Für Bonaventura ist neue Physik in der Konsequenz der Menschwerdung: ein Leib werden mit Christus, aus ihm als Haupt und Herz Leben empfangen und weitergeben an die anderen. Der nötige Dienst am Leben erhält neue Dringlichkeit und neue Kraft daraus, daß er Dienst aus der Verbindung mit Christus und Dienst für die Verbindung allen Lebens mit Christus wird.

Mathematik[102] ist für Bonaventura Wissenschaft vom Raum, von seinen Dimensionen, zuletzt aber: von der Orientierung und Situierung des Menschen im Raum. Auf diese „menschliche" Dimension des ganzen Problems wendet er die gesamte Aufmerksamkeit. Wir könnten heute die merkwürdige Gleichung Pascals wieder leichter verstehen, der am Anfang der Neuzeit an der „objektiven" Erfahrung des Menschen in der Mitte des unendlichen Raums, in der Mitte zwischen unendlich Großem und unendlich Kleinem die Ausgesetztheit des Menschen, seine Standlosigkeit in sich selbst erfahren hat[103]. Die beiden Gefahren des Menschen: der Schwerkraft zu entraten, ohne Mitte, ohne Orientierung im Raum umzutreiben, oder aber, weil er der Mitte bedarf, den Versuch zu wagen, sich selbst als die beherrschende, maßgebende Mitte des Ganzen zu setzen, so sich aber im Raum zu ver-messen. Genau auf diesen Punkt trifft die Reflexion Bonaventuras. Er sieht die Mitte, die das Ganze orientiert, in Christus dem Gekreuzigten. Christus macht ernst damit, was der Mensch von sich selber her ist, er begibt sich an den untersten Punkt – doch gerade hier wird er Mitte, Mitte, weil Gott in ihm an diesen untersten Punkt absteigt, von unten alles, was den Lebensraum des Menschen bestimmt, unterfängt, auffängt und so diesen Lebensraum restituiert. Die Konsequenzen für den Menschen, die Bonaventura zieht: Die neue Mathematik, die neue Orientierung ist das Gegenteil der Ver-messenheit, es ist die Demut, in der sich der Mensch an den Ort seiner eigenen Ortlosigkeit stellt und so dort zugleich die Mitte gewinnt, deren er bedarf, weil diese Ortlosigkeit am Kreuz der Ort Gottes und der Aufgang neuen Lebens-raumes geworden ist. Erinnern wir uns nochmals an das Jesuswort, das Bonaventura in diesem Zusammenhang zitiert: Ich bin in eurer Mitte wie einer, der dient. Hier ist das Stichwort gegeben, dessen die fällige Orientierung und Neubemessung des Welt- und Lebensraums bedarf. Am Dienst für den Menschen und am Dienst des Menschen wird auch das seinen Maßstab finden müssen, was im Kosmos und auf der Erde, was in Planung und Gestaltung, was im Bauen und Ordnen der Mensch mit dem Raum anfängt.

Auch Logik[104] ist für Bonaventura mehr als ein System formaler Regeln; es geht ihm um den Dienst des Denkens und Sprechens an der Wahrheit. Heben wir den für unseren Zusammenhang springenden Punkt nochmals heraus: Die Demonstration der teuflischen Scheinlogik, die von unten nach oben argumentiert, die aus dem Brauchen und Wünschen des Menschen postuliert und usurpiert. Bonaventura sieht sie überwunden durch jene paradoxe und doch stimmige Logik der Liebe, die von oben her argumentiert, indem sie nach unten absteigt und so das Unten zum Oben führt. Dies ist die Logik der Auferstehung, die zweierlei zugleich erweist: die Niedrigkeit des Kreuzes als wirksame Präsenz der allmächtigen Liebe Gottes und das Leben Gottes, aus dem Kreuz her in der Auferstehung sichtbar als unser Leben. Die Bedingung dieser Logik freilich ist das Mitgehen des Weges der Liebe, die Nachfolge Christi zum Kreuz. Die Klarheit der neuen Logik wächst aus der Dunkelheit des Kreuzes, die Kraft der Überzeugung und des Zeugnisses wächst aus der Gemeinschaft mit dem Gekreuzigten. Doch dies ist mehr als bloßes Paradox, es ist eben Logik der Liebe. Im Sinne Bonaventuras steht solche Logik nicht neben der „normalen", sondern ist ihre innerste Mitte. Nur das Mittun der Bewegung, die zuletzt und zutiefst Bewegung der Liebe ist, der Bewegung von sich weg zum anderen hin, nur das Eingehen auf den anderen dort, wo er ist, macht den Unterschied des wahren Wortes zum bloßen Gerede oder zum bösen Schein offenbar.

Die Ethik[105] ist für Bonaventura geprägt von der Tugend des Maßes, ja Tugend selbst ist ihm rechtes Maß. Solches Maß, solche Mitte, in der Maß sich zeigt, ist aber gerade das Gegenteil von bloßer Mittelmäßigkeit, von Kompromiß, der das Gesollte nur mit der eigenen Kraft und dem eigenen Mögen vergleicht. Mose in der Mitte der Wolke, Mose im Aufstieg auf den Berg ist Bonaventura – wie schon vielen Vätern – Vorbild des Weges zu Gott. Was im Aufstieg des Mose sich anzeigt, vollendet sich für Bonaventura im Aufstieg Christi über alle Himmel. Er schreitet fort von Kraft zu Kraft; unterwegs in die Unendlichkeit des Vaters, ist sein Ort der Mitte das Je-mehr, das Je-weiter. Dies allein aber kann das Maß des Christen sein. Die Unabschließbarkeit, die je neue Orientierung aufs je größere Ziel, ist für Bonaventura das Kennmal des Ethos der Nachfolge. Solche Deutung der Ethik könnte als rigoristisch erscheinen. Ist hier Forderung nicht Überforderung? An alle jene Bemühungen, die Ethos vom Maß dessen bestimmen, was den Menschen zumutbar ist, richtet sich indessen die Gegenfrage: Kann nicht nur in solcher Über-forderung das Maß des Menschen selbst eingehalten werden, der, wo er sich nur an sich selber anpaßt, gerade sich selber, seinen ihn bestimmenden Grundzug des Sich-Transzendierens verliert? Schließlich darf christliches Ethos nie abstrahiert werden von Christus, der nicht nur Maß der Forderung, sondern auch Maß der sich verschenkenden Überfülle Gottes ist. Die Kraft, mit der wir nachfolgen, ist die Kraft dessen, dem wir nachfolgen.

Rechts- und Staatskunst[106] werden von Bonaventura als Antizipation der endgültigen Gerechtigkeit verstanden, die der richtende Christus bringen wird. Erst in diesem Ende erhalten die Proportionen der Welt und der Geschichte jenen Glanz ihres Maßes, der ihre von Anbeginn her intendierte Ordnung offenlegt. Das Mühen um Gerechtigkeit in der Geschichte, das Mühen um Gestaltung der Gesellschaft bleiben vorläufig, bleiben in Differenz zu ihrem Woraufhin. Dennoch und gerade deshalb sieht Bonaventura es als das Ethos der Recht Schaffenden und Recht Sprechenden an, auf dieses endgültige Gericht, auf die scheidende und ordnende Klarheit des wiederkommenden Herrn hinzublikken, an ihm jene Orientierung zu nehmen, die das Gegenwärtige zur immer größeren Approximation an das Künftige, zum Zeichen für das Künftige gestalten hilft. Und nicht nur jene, die für Macht und Recht bestellt sind, sondern auch jeder einzelne hat dort seinen Orientierungspunkt für das, was ihm wichtig und was ihm zweitrangig sein soll. Die „Erhabenheit" des kommenden

Richters prägt sich in der Würde des wenn auch erst bruchstück-haften, vorläufigen Rechts, der erst vorläufigen Ordnung aus. Der Blick auf den Wiederkommenden begründet und relativiert die Institution und die Erwartung an sie.

Die vielleicht erstaunlichste Zuordnung erfährt die Theologie[107]. Sie wird auf den Frieden der ewigen Versöhnung, auf das Lamm der Apokalypse inmitten des himmlischen Jerusalem hin verstanden. Vier Thesen sind in dieser Position Bonaventuras eingeschlossen. Einmal ist Theologie in letzter Instanz antizipative Wissenschaft. Sie liest das Handeln Gottes und die Forderung Gottes im Licht von Hoffnung und Verheißung, weil allein in diesem Licht die Linien der Botschaft und die Linien des Handelns Gottes, das sich in ihr bekundet, ihren Konvergenzpunkt zeigen. Das Hinauslaufen der Theologie auf den dritten der mystischen Schriftsinne, auf die Einung mit Gott, findet hier ihren Widerschein. Zum anderen ist das von der Theologie zuhöchst Antizipierte, aber auch am meisten Antizipierbare nicht die Schau, sondern die Liebe, die sich in Friede und universaler Versöhnung ausdrückt. Bonaventuras These ist, Seligkeit sei Liebe und Liebe sei mehr als nur Schau[108]. Dies ist im Grunde die „logische Konsequenz", wenn Seligkeit die Einung mit dem Gott bedeutet, der Liebe ist. Nur dann sieht Theologie ganz, was sie sehen kann, wenn sie weiter sieht als bloß bis zum Sehen. Weiter besagt Bonaventuras Bestimmung der Theologie vom vollendeten Frieden her einen Komparativ zu dem, was eine „bloße" Theologie wäre. Die Kreisbewegung, die mit der Metaphysik und ihrer Mitte, dem Ausgang des ewigen Sohnes aus dem Vater, begonnen hat, bringt in ihr Ende eben „mehr" zurück als bloß den Anfang; Liebe, die ihr Anderes einbegreift, ist, in der Ordnung der Liebe, reicher als Liebe, die allein bleibt. Alles ist Gott, Gott kann nicht „reicher" werden, aber gerade weil alles in Gott ist auf diese Weise der Liebe, ist es die Dynamik seines Gottseins selbst, dasein zu wollen als an dieses Andere verschenkt und als dieses Andere in seiner Heimkehr in sich bergend. Schließlich ist es kennzeichnend für Bonaventura, daß in sein Wesensverständnis von Theologie die Bestimmung des Friedens eindringt. Das Wort Friede gemahnt ihn nicht nur an den, der diesen Frieden als erster predigte und brachte, sondern, wie wir sahen, auch an den, der Botschaft und Beispiel Jesu seiner Zeit wiederbrachte: an Franziskus. Bonaventuras theologisches Denken bleibt dem konkreten Kontext, aus dem es in seinem persönlichen Leben entsprang, treu; ihm bedeutet das Erbe des Franz nicht nur die Mitte der Nachfolge, sondern auch die Mitte ihrer Reflexion.

2.4 Konsequenzen für heute

Tragen wir nach dem Durchgang durch die Texte aus Reductio und Hexaemeron als Fazit zusammen, was die Wissenschaftslehre Bonaventuras unserem heute so andersgearteten Verständnis zu sagen hat.

Der Einstieg für den Dialog zwischen heutiger Wissenschaft und bonaventuranischem Verständnis könnte sein „modellhaftes", „exemplarisches" Denken sein. Das Ideal von Wissenschaft ist heute nicht mehr so sehr das der kausalen Totalerklärung; Modelle, die eine möglichst breite und doch möglichst konkrete Integrationskraft haben, Modelle, die außer deduktiven auch produktive, entwurfhafte Momente enthalten, scheinen am ehesten die je größere Annäherung an das, was sich zeigt, zu ermöglichen.

Der einer Theologie aus dem dreifachen Schriftsinn entlehnte Dreischritt von Genetik, Nomik und Synthetik, zumal die Anwendung dieses Dreischritts auf den Außenbezug der Wissenschaft, der jedoch ihre jeweilige Sache und ihre jeweilige Methode unverkürzt miteinbezieht, ja ihnen konstitutiv zugehört, deutet Bonaventuras Entwurf als eine Alternative zu den Engführungen einer bloß neutralen und immanenten *und* einer bloß engagierten und praxisbezogenen Wissenschaft an.

Der Kontrast zwischen der einen Kreisbewegung, in der Bonaventura alle Wissenschaften und ihre zugehörigen Sachbereiche durchschreitet, *und* der Kreisbewegung in jedem Bereich und jeder Wissenschaft um die je eigene Mitte gibt uns einen wichtigen Hinweis: Eigengesetzlichkeit, Eigenmethodik verschiedener Wissenschaften und universales Gespräch, umfassender

Zusammenhang zwischen den Wissenschaften schließen einander nicht aus, sondern fordern sich gegenseitig. Weil der Hinblick jeder Wissenschaft auf den Menschen und über den Menschen hinaus aufs Ganze geht, gehören die Wissenschaften zusammen in der Verantwortung für den Menschen und im Bedenken der gemeinsamen Grundlagen im Ganzen; weil es jeder Wissenschaft auf andere Weise um den Menschen und ums Ganze geht, lassen sich die Wissenschaften nicht ineinander auflösen. Da Bonaventura einen Wissenschaftsbegriff kennt, der für geistiges Leben und Tun insgesamt offen ist, hat sein Modell von Integration und Eigengesetzlichkeit der Bereiche eine Bedeutung über den engen Raum der bloßen Wissenschaft hinaus. Das Zueinander autonomer Teilwelten und der sie integrierenden *einen* Welt wird auch praktisch heute immer mehr zur Lebensfrage.

Die entscheidende Frucht aus Bonaventuras Verständnis der Wissenschaft ist jedoch eine „praktische": Wie kann der Mensch als Glaubender und Wissenschaft Treibender, wie kann er in den unterschiedlichen Regionen und Rollen, die sein Leben heute notwendig durchmißt, ein Einer und Ganzer bleiben, wie dennoch den verschiedenen Ansprüchen gerecht werden? Wie kann er so kohärent und so flexibel zugleich bleiben, daß er nicht zerrissen oder charakterlos wird? Die theologische Integration der Wissenschaften, die Bonaventura unternimmt, zeigt hier einen Weg. Im Blick auf die *Reductio* gesagt: Die methodische Haltung, die in den unterschiedlichsten Bereichen gefordert wird, und die Lebenshaltung, die der Glaube prägt, zeigen dieselbe Struktur, ohne daß Glaube sich an die Stelle von Sachkompetenzen und Sachansprüchen drängt. Im *Hexaemeron* können wir von Bonaventura lernen, Sachprobleme auf ihre anthropologische Tiefe hin zu lesen, diese anthropologische Tiefe aber auf Jesus Christus hin zu verstehen. Die lebendige Verbindung mit ihm in der Nachfolge weist uns gerade ein in die Sachgerechtigkeit und Eigengesetzlichkeit des jeweiligen Anspruchs; sie kann unser Tun in einen Dienst verwandeln, der mehr ist als Erfüllung einer Funktion, in einen Dienst, der die Welt menschlich macht und ihr den Glauben an den bezeugt, der ihr das Leben gibt.

V.

Einsatz und Spitze der Theologie: Gottesfrage und trinitarische Antwort

1. Seinsdenken und Gottesfrage

1.1 Nachfolge und Gottesfrage

Theologie als reflektierte Nachfolge, das ist heute nicht im vorhinein ein eindeutiger Begriff. Nachfolge Jesu als Mitgehen seines Weges, sein Weg selbst als Aufschließung einer letzten Tiefendimension menschlichen Daseins oder einer Sinnerfüllung in der Konsequenz radikal gelebter Menschlichkeit, solches wird leicht bejaht. Kritisch wird die Sache jedoch dort, wo Nachfolge auf der Buchstäblichkeit des Gottbezuges Jesu besteht, wo sie dem widerstreitet, daß man das Woraufhin des Weges Jesu, den Vater, hermeneutisch „vermittelt", daß man die Härte des personalen, partnerischen, in Anrede und Angeredetwerden sich bewährenden Gottes durch Interpretation auf Seinstiefe, Sinn, unsäglichen Ursprung „lindert". Im Sinne von Bonaventura gewinnt Nachfolge aber nur darin ihre Identität, daß der göttliche Gott ihr Ziel und ihr Grund und daß auch die Reflexion dieser Nachfolge Reflexion auf diesen göttlichen Gott zu ist.

Freilich, auch abgesehen von Bonaventura, gilt: Nachfolge übersetzt ihren Urtext nur dann ins Eigene, wenn sie von der Direktheit dieses Gottes und zu diesem Gott nichts hinwegnimmt, wenn sie die Konkretheit und Ärgerlichkeit dieses Gottes fürs Denken ihrem eigenen Denken, ihrer eigenen Reflexion zumutet. Die Glaubwürdigkeit des Christentums und der Theologie hängt letztlich gerade heute daran, daß sie sich die Gottesfrage und die Botschaft von Gott nicht erspart und nicht erleichtert, daß dieser Gott die Maße des Denkens sprengt, indem er sie beansprucht, und zugleich das Denken erfüllt und integriert, indem er es übersteigt. Alle theologische Rede bleibt unverbindlich, ja sie bleibt Selbstverschleierung, wo die Fragen ausgeklammert werden: Ist der Gott, von dem ihr sprecht, Wirklichkeit? Wie kommt der Mensch vor diese Wirklichkeit? Was meint die Wirklichkeit, die ihr Gott nennt?

Bonaventura stellt sich im Ganzen seines Denkens diesen Fragen, und er läßt keinen Zweifel daran aufkommen, in welchem Sinn er sie beantwortet. Es ist indessen in einem doppelten Sinn wichtig und interessant, auf *die* Gedanken und Aussagen zu achten, in denen Bonaventura die Frage nach Gott, den Weg der Gotteserkenntnis und die Botschaft vom einen und dreifaltigen Gott direkt thematisiert. Denn einmal erhält gerade hier sein philosophisches und theologisches Denken ein besonders deutliches Eigenprofil, zum anderen gehören die Position Bonaventuras und ihre Entfaltung zum spekulativ Bedeutsamsten, was in der ganzen Theologiegeschichte über philosophische Gotteserkenntnis, über ihr Verhältnis zur Theologie, über den Zugang des Denkens zur Trinität und über das Verständnis des trinitarischen Gottes gesagt wurde.

Der Ansatzpunkt Bonaventuras sowohl in der Frage nach der Wirklichkeit Gottes als auch in der Frage danach, wie diese Wirklichkeit Gott sich auslege, ist jeweils ein doppelter.

Daß Gott Wirklichkeit ist und nicht bloß eine Hypothese, das ist Voraussetzung, die das Was und Wie bonaventuranischen Denkens im Ganzen und an jeder Stelle bestimmt. Er spricht leidenschaftlich von seinem Gott, er spricht in Anrufung und Lobpreisung, in Zeugnis, Beschwörung und Begeisterung von ihm, auch wo sein Gedanke philosophische Bahnen zieht. So spricht nur einer, der von der Wirklichkeit dessen, was er zur Sprache bringt, überzeugt, ja ergriffen ist. Woher aber rührt diese Grundüberzeugung? Sie rührt aus dem Innestehen in einem Gespräch, das vom konkreten Ruf dieses Gottes eröffnet ist. Wer mich ruft und darin mich selbst ganz einfordert, über mich hinausfordert und alles als das, was es ist, auf dem Weg solcher Einforderung unverkürzt und unverstellt in meinen Blick, in meinen Vollzug einbringt, der ist wirklich, der ist *die* Wirklichkeit. Die Wirklichkeit Gottes springt so für Bonaventura heraus aus der Positivität seines Sich-Offenbarens. Das ist der eine Ansatzpunkt. Der andere ist ein streng philosophischer: Bonaventura geht vom Denken, von dem aus, was als sein Erstes das Denken in Gang bringt. Man könnte von einer radikalen „Rationalität" der Gotteserkenntnis bei ihm sprechen, sofern man darunter verstände: direktes, ja unmittelbares, notwendiges Selbstverständnis der Ratio, des Denkens auf Gott hin. Die Spannung zwischen diesen beiden Ansatzpunkten liegt offen. Bei genauerem Nachsehen wird sie sich vermitteln.

Die entsprechende Spannung begegnet uns auch zwischen den beiden Ansatzpunkten Bonaventuras, um den Begriff, das Verständnis, die „Inhaltlichkeit" Gottes zu gewinnen. Maßgebend ist für ihn wiederum das, was Gott selbst von sich sagt. Die letzte Verankerung auch der philosophischen Gottesnamen des Einen und des Seienden, nicht nur die Bestimmung Gottes als Trinität, als Liebe, als „der allein Gute" (Lk 18, 19), gewinnt Bonaventura aus dem Text der Offenbarungsurkunden. Umgekehrt bemüht er aber nicht bloß für den Erweis dessen, daß Gott reines Sein und absolute Einheit ist, sondern auch für die Plausibilität dessen, daß er als der Gute der Dreifaltige ist, das spekulative Denken. Auch hier macht er selbst wiederum, wie wir noch sehen werden, die Vermittlung der konträren Ansatzpunkte ausdrücklich.

1.2 Bonaventuras Grundgedanke philosophischer Gotteserkenntnis

Unser nächster Schritt mit Bonaventura begibt sich auf seinen Weg philosophischer Gotteserkenntnis. Sie hat vielerlei Gestalten, Schattierungen, eine reiche Bandbreite von ihm angedeuteter oder ausgeführter Möglichkeiten. Dennoch gravitiert diese Fülle auf *einen* Schwerpunkt hin. Unter vielen möglichen Wegen gibt er einem den deutlichen Vorzug, trägt sich einer in die Grundstruktur seines Gedankens im Ganzen ein. Wir stellen ihn dar anhand des fünften Kapitels des Itinerarium, wo nicht nur seine spekulative Dichte, sondern auch sein Kontext im Denken und in der Existenz besonders transparent werden.

In der Dynamik des Aufstiegs zu Gott, die das Itinerarium gliedert, blickt Bonaventura zuletzt, im 5. und 6. Kapitel, in das Über-uns, in jenes Licht, durch welches und in welchem uns Gott als Gott aufgeht. *Durch* dieses Licht hindurch, von außen, erscheint uns Gott als der Eine und Seiende – Bonaventura verknüpft seinen philosophischen Gedankengang mit dem alttestamentlichen Gottesnamen „Ich bin, der ich bin", der von ihm der Tradition gemäß verstanden und übersetzt wird „Ich bin der Seiende". *In* diesem Licht, von innen, von seinem Ursprung her, wie er sich in der neutestamentlichen Offenbarung erschließt, erscheint Gott als der Dreifaltige – Bonaventura verankert dies in dem Schriftwort „Nur einer ist gut, Gott allein" und legt es auf den immanenten Selbstüberstieg, die immanente Selbstmitteilung Gottes, eben die Trinität hin aus[109].

Für Darstellung und Verständnis des roten Fadens, der die philosophische Erörterung im 5. Kapitel des Itinerarium durchzieht, ist einmal der Grundgedanke (V, 3), zum anderen die doppelte Dramatik in der Durchführung dieses Grundgedankens (V, 4–8) von Belang: In dieser Dramatik werden Selbstverständlichkeit und Unselbstverständlichkeit, Rationalität und Qualität des Gotterkennens, aber auch Zugang zur Wirklichkeit Gottes und Auslegung dieser Wirklichkeit Gottes auf das Wesen des Einen Gottes hin erschlossen.

Bonaventura lädt zunächst ein zu einem Gedankenexperiment. Er bittet den Leser, seinen Blick festzumachen auf den Gedanken „das Sein selbst", und er ist dessen sicher, daß am Ende dieses Gedankenexperiments die Überzeugung steht, dieser Gedanke sei kein bloßer Gedanke, sondern erschließe Erkenntnis der Wirklichkeit von Sein selbst. Das Experiment umfaßt folgende Schritte: Sein selbst, Sein in ungetrübter Reinheit, läßt sich nur denken unter Ausschließung von all dem, was der Sache nach Minderung von Sein, der Form nach aber Zusatz zu Sein ist; wer Sein und noch etwas dazu gedacht hat, hat nicht Sein selbst, reines Sein gedacht.

Ein zweiter Schritt versucht nun, das Gegenteil zu denken: Nichts. Nichts habe ich wahrhaft aber nur dann gedacht, wenn jede Spur von Sein hinweggedacht ist, wenn ich Nichts und sonst nichts gedacht habe. Der dritte Schritt bleibt beim zweiten und deckt seine Tiefe auf: Nichts denke ich als Verneinung von Sein, bezüglich auf Sein. Ich habe im Grunde, wenn ich Nichts denke, immer bereits Sein gedacht. Der Eindruck, dieses Experiment lasse sich umkehren, ist Schein. Ich habe nämlich schon „Sein" gedacht, wenn ich Nichts denke; ich muß aber nicht Nichts gedacht haben, um Sein zu denken. Das Führende und Bestimmende in allem, was ich denke, ist der positive Pol, ist Sein, und das, was ich sonst noch denke außer Sein, ist eine Minderung von Sein. Sobald ich etwas denke, was nicht einfachhin Sein ist, denke ich es im Unterschied von Anderem, denke ich insofern etwas mit, was dieses da nicht ist; wenn ich nur noch Sein denke, denke ich zwar das, was das schlechthin Andere gegenüber jedem „nur dieses da" oder „nur jenes da" darstellt und doch alles das, *was* dieses und jenes ist, in sich birgt. Der Gedanke „reines Sein" ist der Gedanke reiner, grenzenloser Fülle.

So folgt ein weiterer Schritt: Ich erkenne, daß ich nur von solcher Fülle, nur vom je Verstandenhaben jener Fülle das Einzelne, das „dieses da", das an sich auch nicht sein könnte, kurzum jenes, was nicht diese Fülle selbst ist, verstehen kann. Das Vor-verstandene in allem Verstehen und Erkennen ist reines Sein, Sein selbst als grenzenlose Fülle. Somit ist reines Sein jenes, was vor allem Anderen uns „eingefallen", in unseren Intellekt hineingefallen ist, jenes, von dem her er immer schon kommt, wenn er zu dem Vielen ausgeht, auf das er fragend, suchend, erkennend sich spannt.

Fragt man aber nach – nochmals ein weiterer Schritt –, wodurch, woher solche Fülle des Seins, die doch zugleich Reinheit des Seins – Sein und sonst nichts – ist, uns eingefallen, in unser Verstehen eingedrungen sein kann, welche Prämissen dieses Urverstandene haben könne oder müsse, dann zeigt sich: keine anderen als sich selbst. Denn jede andere Prämisse, jedes Frühere oder Größere könnte nur wiederum auf Sein zurückgeführt werden; von Sein aus allein ist alles zu denken, Denken selbst ist Herkommen von Sein, und so ist mit dem Gedanken des Seins in seiner Fülle zugleich das schlechterdings Anfängliche gedacht.

Nun aber kommt die Gegenfrage, ob solche Fülle ein bloßer Gedanke sei. Im bloßen Gedanken wäre die Möglichkeit solcher Fülle gedacht; weil Möglichkeit aber in der Dimension des Gedankens „Sein" – nicht in der Dimension irgendeines anderen Gedankens – weniger ist als Wirklichkeit, weil der Gedanke Sein Wirklichkeit selber meint, denkt der Gedanke, daß die vom Denken zuerst gedachte Reinheit und Fülle des Seins ein bloßer Gedanke sei, gar nicht ganz, was er denkt; er unterbietet sich selbst, er faßt sich selbst und somit das Denken selbst nicht in seiner Wurzel, nicht in dem, wovon es je schon herkommt. Der Gedanke Sein, der Begriff Sein ist als solcher der einzige Gedanke und Begriff, der von der Erfahrung dessen, von der wirklichen Begegnung mit dem herkommt, was er entwirft, was er denkt, wohin er langt.

Was aber denkt dieser Gedanke, der als solcher kein bloßer Gedanke ist? Der Gedanke Sein weist zurück in den Gedanken Reinheit und Fülle des Seins – dies ist seine ursprüngliche Dimension; als Gedanke des Seins aber ist er Entwurf, Erwartung, ungedeckter Vorschuß bezüglich jedes einzelnen Dinges oder Gehaltes oder Geschehens, nicht jedoch bezüglich des Seins selbst. Der Gedanke Sein bezeugt Sein als das Andere des Gedankens, als das, was, indem es gedacht ist, das Denken allererst in Gang bringt und ermöglicht, als das, was *ist*. Somit deutet sich der Gedanke reines Sein, Sein als Fülle in seinem Ursprung als Gedanke reiner Wirklichkeit, als ihre Urkunde im Denken. Nicht Sein, das sich entäußern müßte ins Seiende hinein, nicht Sein als der bloße Erwartungshorizont von dem oder jenem, was ist und dieses ist und nichts Anderes ist, ist der erste Gedanke, besser: das, was sich im ersten Gedanken bereits zu denken gibt, sondern Sein selbst als „actus purus", als reine Wirklichkeit. Im Gedanken des actus purus – der eben nicht bloßer Gedanke ist – sieht Bonaventura den Gedanken des möglichen Seins, den Gedanken des partikulären Seins und den Gedanken des analogen Seins – und wiederum nicht nur den *Gedanken* dessen – erst ermöglicht. So wird es für Bona-

ventura unabweislich, den Urgedanken des Seins als die Urgege-
benheit an das Denken auszulegen, als göttliches Sein.

Man könnte diesen Gedanken Bonaventuras als eine Vertie-
fung des ontologischen Arguments, wie es Anselm in seinem Pros-
logion formuliert hat, betrachten. Dieser geht vom Denken dessen
aus, über das hinaus nichts Größeres gedacht werden kann, um
aufzuzeigen, daß es nur dann als das schlechthin Unüberholbare
gedacht wird, wenn es nicht nur als möglich, sondern als wirklich
gedacht wird. Mit noch mehr Recht ließe sich sagen: Bonaventuras
Gedanke ist die tragende Umkehrung des anselmischen Arguments. Zwar geht der Form nach auch Bonaventura vom Experiment des Gedankens aus, aber dieses Experiment ist bloß die Auf-
deckung der Herkunft nicht nur dieses Experiments, sondern allen
Denkens vom Anderen des bloßen Denkens, das, vom Denken
unbedingt, einfachhin Sein, Sein aber als Wirklichkeit, als actus
purus ist. Bei Anselm erscheint, wenigstens bei nur flächigem Lesen, dieses Unüberholbare als die unausweichliche Zukunft des
Denkens, bei Bonaventura das reine Sein als die Herkunft des
Denkens, die freilich – wie Bonaventura in anderem Kontext
durchaus sieht – eben auch seine Zukunft ist, das, worauf alles
Denken hinläuft. In solcher tragenden Umkehrung des ontologischen Arguments (die letzteres freilich als Konsequenz mit einschließt) ist Bonaventuras Gedanke aber auch tragende Umkehr
für den Gedanken, der den fünf Wegen des Thomas, ihrem
Durchstoß von der Struktur des kontingenten, nicht notwendigen
Seienden auf seinen notwendigen, unbedingten Ursprung, zugrunde liegt: Wenn die *Möglichkeit* kontingenten Seins von der
Wirklichkeit *des* Seins herkommt, dann eben auch, ja erst recht
die erkannte *Wirklichkeit* kontingenten Seins. So ist es auch nur
konsequent, wenn in anderem Zusammenhang Bonaventura den
Gedanken des Arguments ex effectu, aus der Wirkung, aus dem
Kontingenten, aufgreift.

Um einen knappen Blick auf die nachfolgende Geistesgeschichte zu werfen: Wenn der späte Schelling das Denken auf der
Urpositivität des reinen „Daß" aufruhen läßt, das sich ihm sodann
in jenen Vollzug hinein auslegt, ohne den dieses Daß gar nicht

in seiner Unzerstörbarkeit präsent wäre, und wenn er in solcher Aufhebung und Rekonstitution sein früheres, sein Identitätsdenken einholt, dann begegnen wir in Bonaventura, in anderem Klima, mit anderer Artikulation, einem bereits entsprechenden Gedanken. Dieser Gedanke bringt auch der Kritik Kants und der Anfrage Heideggers gegenüber einen – solche Kritik und Anfrage keineswegs überflüssig machenden, ihr dennoch widerstehenden – Überschuß entgegen: den Überschuß der besinnenden Schau, die allen nachträglichen Operationalisierungen und Verfügungen des Erschauten enthoben ist, ihnen ihre Relativität, damit aber auch ihr relatives Recht zumißt.

„Dramatische" Entfaltung des Grundgedankens

Das in dargelegten Gedanken Gewonnene ist für Bonaventura indessen nicht Endstation – es wird vielmehr in zweifacher Dramatik weiterentfaltet. Die *erste* Dramatik spielt zwischen dem in diesem Gedanken Gedachten und dem ihn denkenden Denken. Einerseits ist Bonaventura der Inhalt des Gedankens so unabweislich, daß er es für widersinnig hält, sich ihm zu verschließen. In anderem Zusammenhang betont Bonaventura: „Auch wenn du sagst: Gott ist nicht, so folgt: Wenn Gott nicht ist, so ist Gott."[110] Andererseits aber begegnet Bonaventura faktischer Ablehnung, mehr noch faktischem Unberührtsein des Denkens von diesem Gedanken. Er führt dies auf die Verfassung des menschlichen Geistes zurück: „So nimmt das Auge unseres Geistes, fixiert auf Einzelnes oder Allgemeines, das Sein selbst, das über jeder Gattung steht, dennoch nicht wahr, obschon es als erstes dem Geist begegnet und durch dieses erst das Andere."[111] Darum verschlingt sich mit der Selbstverständlichkeit des Gedachten bei Bonaventura die Unselbstverständlichkeit des Gelingens dieses Gedankens. Der in sich selbstverständliche Gedanke bedarf der Disposition, der Reinheit des Denkens, der Hinwendung des Blickes auf das, was sich ihm zeigen will, der Kraft, zu verweilen, durchzustoßen. So nimmt Bonaventura nach der Zwischenbemerkung über die „wunderliche Blindheit des Intellekts, die jenes nicht beachtet, was sie zuerst sieht, und ohne die sie nichts erkennen kann"[112], seinen Gedanken wieder auf mit der Einladung: „Schau also, wenn du es vermagst, das reinste Sein selbst"[113], und er beschließt den darauf folgenden Gedankenschritt mit dem Nachtrag: „Wenn du dies in der reinen Einfalt des Geistes schaust, so wirst du ein wenig durchströmt werden von der Erleuchtung ewigen Lichts."[114]

Eine noch tiefere Schicht derselben Dramatik zwischen Gedachtem und Denken: Der selbstverständlichste Gedanke *muß*, um nicht in sich verfehlt zu werden, unselbstverständlich sein. Nachdem Bonaventura die Selbst-verständlichkeit des actus purus in jene Bestimmungen hinein entfaltet hat, *ohne* die er nicht actus purus wäre, *in* denen aber seine Göttlichkeit sich offenlegt, hat er Sorge, solche Stimmigkeit des Gedankens könne seine innere Sprengkraft verschatten, und er setzt neu ein: „Doch du hast noch genug Grund, um dich zur Bewunderung zu erheben."[115] Und das „Wunderbare", das sich da auftut, ist nicht nur in sich mehr als Gedanke, es betrifft auch mich nicht nur im Denken, sondern im Sein: „Dies vollkommen zu schauen heißt selig sein, so wie dem Mose gesagt ist: Ich will dir jegliches Gute zeigen (Ex 33, 19)."[116]

Wenden wir uns nun der zweiten Dramatik zu; sie spielt in der „sachlichen" Weiterentfaltung des gewonnenen Anfangs allen Denkens: des actus purus. Wir beschränken uns auf die Angabe der Stufen ihres „dramatischen" Ganges. Zunächst wird geklärt, warum die Urfülle so leer erscheint, warum das Denken glaubt, auf dieses Erste und alles Tragende blickend, doch nichts zu sehen. Den Grund nannten wir: Die Gewöhnung des geistigen Auges ans Dunkel des bloß Abkünftigen und Vorletzten läßt das reine Licht wie Nacht erscheinen[117]. Von hier aus wird die „Qualität" des reinsten Seins aus sich selbst her aufgeschlossen, werden die Bestimmungen der Fülle aus der Bestimmung „reine Wirklichkeit" erhoben[118]: Das reinste Sein ist notwendigerweise das Ab-solute, das Anfänglichste, es ist ewig, es ist das Einfachste, das Wirklichste, Vollkommenste und aufs höchste Eine. Der innere Zusammenhang der Einzelbestimmungen wird sodann deutlich gemacht[119]: Eine kann nicht ohne die andere gedacht werden, sondern schließt die andere mit ein; indem alle das reine Sein auslegen, legen sie sich gegenseitig aus. Darin aber bestimmen sie ihre Einheit im „Sein selbst" zugleich als dessen Einzigkeit. Der Gedanke an die reine Wirklichkeit, an den actus purus, ist der Gedanke an einen einzigen unwiederholbaren, ausschließenden Akt: an den einzigen Gott. Solche Schlüssigkeit erweist sich, in sich selber weiterbedacht, als das Wunderbare, Verwunderliche schlechthin; denn sie legt sich dem endlichen Denken in paradoxe, gegenläufige Bestimmungen hinein auseinander[120]: Gerade weil das reine Sein das Erste ist, ist es auch das Letzte; weil das Ewige, auch das Gegenwärtigste; weil das Allereinfachste, auch das Allerumfassendste; weil das Wirklichste, weil höchste Aktualität, auch reine Unveränderlichkeit; weil das Vollkommenste, zugleich das Maß-lose, Unermeßliche; weil das auf höchste Weise Eine, auch das Allgestaltige. Doch hier wehrt Bonaventura nochmals dem Mißverständnis, das den Anfang des Gedankens in die Krise führte: Er betont, daß diese Bestimmungen nicht auf die „Wesenheit von allem" tendieren, sondern auf „aller Wesenheiten übererhabenste und allumfassendste und hinreichendste Ursache"[121]. Der Gedanke dreht sich: Das reine „In sich" der Urwirklichkeit wird in seinem Außenbezug, in seinem Verhältnis zum Anderen bestimmt[122]. Jede der genannten Polaritäten in sich hat auch eine entsprechende Bedeutung für das Seiende, das durch das reine Sein ins Sein gerufen werden kann. Solche Betrachtung mündet in die Erkenntnis, daß das Erste und Eine alles in allem ist, alles in allem aber gerade als Eines *gegenüber* allem. Dieses Eine, das zugleich alles ist, aber legt sich zusammenfassend aus als „einfachste Einheit, lichteste Wahrheit und lauterste Güte", der „alle Mächtigkeit, alle Urbildlichkeit und alle Mitteilsamkeit"[123] innewohnt. Diese Eigenschaften Gottes als des Seienden und des Einen kehren alsdann in Bonaventuras Entfaltung der Trinität wieder, verweisen auf das Eigentümliche der drei göttlichen Personen.

Die Inhalte, die Bonaventura in der Dramatik zutage fördert, welche den Kern seines philosophischen Gottesgedankens entfaltet, sind die „klassischen". Bedeutsam ist jedoch die Dynamik der Entfaltung selbst, da sie eine Denkweise vorbildet, die wohl erst in den Entwürfen des Idealismus mit solcher genetischer Stringenz wiederkehrt. Vergegenwärtigen wir uns noch einmal das Vorgehen: Die eine Bestimmung reines Sein wird in mit ihr notwendig mitzusetzenden Bestimmungen hinein ausgelegt, die Zusammengehörigkeit solcher Bestimmungen, ihr gegenseitiger Einschluß und somit ihr Einschluß im ersten Gedanken werden aufgezeigt. Sodann wird jede dieser Bestimmungen als Einschluß ihres Gegenteils dargetan, ein möglicherweise verengtes Verständnis der einzelnen Bestimmungen somit transzendierend aufgesprengt. Aus den polaren Bestimmungspaaren wird schließlich die Koinzidenz von Sein in sich und Bezug nach außen erschlossen. Der in sich selbst gedachte actus purus wird als Einbeschluß der Möglichkeit seines Anderen und der Mächtigkeit zu seinem Anderen und über sein Anderes offenbar. Hierdurch wird die innere Allheit des actus purus und seine Differenz zum ihm „möglichen" Alles, wird also reine Freiheit gedacht. Wir finden hier sozusagen die metaphysische Grundlegung dessen, was Bonaventura von einer Phänomenologie unbedingten Geistes her in seiner Spekulation über die ars aeterna ausführt. Der Zusammenhang zwischen dem philosophischen Gottesgedanken und dem Gedanken der Selbstvermittlung unbedingten Geistes zu seinem Anderen hin, zwischen Intuition des reinen Seins und Logik der Produktivität tritt zutage.

Nimmt solche spekulative Leistung indessen nicht Bonaventuras „Überschuß" über jenes metaphysische Denken zurück, dessen Erkenntniswert von Kant, dessen Seinsgerechtigkeit von Heidegger in kritische Frage gezogen wird? Die Nähe zu den anderen großen Entwürfen der Metaphysik liegt auf der Hand. Dennoch setzt deutlicher als in anderen hier die Reflexion des Denkens auf sein qualitatives Verhältnis zum Gedachten ein. Das Denken leistet nicht einfachhin sein Ergebnis, dieses Ergebnis und das Denken selbst widerfahren sich in einer Schau, die als solche verdankend auf das allein aus ist, was sich ihr zeigt, und eben darum immer wieder die Not um die Reinheit ihrer selbst, um ihre „Einfalt" artikuliert. Die Selbstentfaltung des Gedachten im Gedanken hebt nicht die Distanz des Denkens zum Gedachten auf, diese

Distanz ist ihrerseits aber gerade begründet in der reinen Hinwendung auf das Eine, unausweichlich ihr als Erstes zu denken Gegebene – dieses wird in seiner Reinheit und Erstheit gerade nur gewahrt, indem das Denken, sozusagen alles Mindernde, Sekundäre abwehrend, ihm seine Selbstvermittlung zu den anderen Bestimmungen hin abliest.

„Übersetzbarkeit" für uns

Nichtsdestoweniger bleibt uns die Frage, ob ein solches philosophisches Gottesdenken, wie es uns im 5. Kapitel des Itinerarium – und ähnlich in mannigfachen Kontexten – bei Bonaventura begegnet, unserer eigenen Frage nach Gott, nach seiner Wirklichkeit und Göttlichkeit noch unmittelbar etwas zu sagen habe. Über alle Verschiebungen des geschichtlichen Horizontes, der Ausgangspositionen und Methoden der Rationalität hinweg deutet Bonaventuras Grundeinsicht auf Momente, die uns heute neu, wiewohl in manchem anders, den Weg zum selben erschließen können. Wir wollen hier nur die Dimensionen nennen, die sich uns vom Gespräch mit Bonaventura her zur denkenden Einholung auftragen: Bonaventura deckt die *Unverfügbarkeit* des Denkens auf als eine Unverfügbarkeit, die sich dem Denken zu denken gibt und aus der Denken sich allererst gegeben ist; die Unverfügbarkeit des Denkens erschöpft sich nicht im Nicht-aussteigen-Können aus vorgeprägten, aber nicht mehr zu hinterfragenden Denkbahnen und Denkgesetzen; in der Unverfügbarkeit des Denkens wird vielmehr offen, daß Denken selbst offen ist zu seinem Anderen, in Pflicht genommen von ihm, daß es Hören ist, dem ein Wort *zugesprochen* ist. Sowohl in der Selbstreflexion des Denkens als auch in der Reflexion über die vom Denken zu erschließende und zu bewältigende Welt werden wir heute mit denkerischer und sittlicher Dringlichkeit zugleich auf das Moment der Unverfügbarkeit gestoßen.

Denken aber – so zeigt die Analyse von Bonaventura, so zeigt auch der direkte Hinblick auf die Unverfügbarkeit des Denkens und im Denken – ist *Antwort,* die etwas zu verantworten hat. Solches Denken nun ist Wieder-holung einer ersten Ursprüng-lichkeit, die mehr ist als bloße Faktizität; denn die Interpre-tation als bloße Faktizität holt nicht den Anspruch ein, welcher der Unverfügbarkeit zu eigen ist, und nicht die Offenheit, die sol-che Unverfügbarkeit zum Denken hin hat, indem sie sich ihm zeigt und antut, Denken eben in Anspruch nimmt. Solchem Anspruch gegenüber, in der Wahr-nehmung seiner und der eigenen Unver-fügbarkeit ist Denken dennoch mehr als bloße Rezeptivität, es ist vielmehr entbunden zu seiner Selb-ständigkeit: eben *Mitur-sprünglichkeit.* Der Grundraum des Denkens enthüllt sich so als Grundraum von Beziehung, von Beziehung zum Ursprung als Be-ziehung zum Unbedingten, zu unbedingter Ursprünglichkeit.

Mit den genannten Dimensionen – Unverfügbarkeit, Ur-sprünglichkeit, Mitursprünglichkeit – kommt noch eine andere ins Spiel; sie bezeichnet die qualitative Differenz des Denkens, das solche Unverfügbarkeit und Ursprünglichkeit achtet, und zugleich die qualitative Differenz solcher unverfügbaren, unbedingten Ur-sprünglichkeit selbst. Es geht da nicht um einen unbedingten Ge-genstand, um einen höchsten Inhalt, der in der Linie der anderen Inhalte des Denkens liegt, sosehr diese Inhalte angegangen, um-fangen und „ermöglicht" sind von solcher Ursprünglichkeit. Es geht vielmehr um das, was unberührbar und berührend, was ent-zogen und zuallernächst, was unausdenkbar und gerade darum zu denken ist; es geht, phänomenologisch gesprochen, ums *Heilige.*

1.3 Bonaventuras Kontext:
der je größere und je nähere Gott

Auch im Philosophischen ist für Bonaventura Gott zugleich der je größere und der je nähere. Das sei an einigen Aussagen veran-schaulicht, die über den bislang interpretierten Text hinausweisen.

Daß der gezeichnete Grundgedanke Bonaventuras im Itine-rarium zugleich das ontologische Argument, den sogenannten Kontingenzbeweis und jenen aus der Unbedingtheit der ersten Wahrheit mitumschließt, haben wir bereits erwähnt[124]. Wer „ist" sagt, sagt für Bonaventura bereits in letzter Konsequenz „Gott".

Wer Bedingtes als solches erkennt, hat damit bereits Unbedingtes vor-erkannt. Dies zu Ende denkend, sieht Bonaventura auch Atheismus – ohne daß dieser damit in allen seinen Dimensionen abgegolten wäre – als eine Fehl- und Zerrform ursprünglichen und unausrottbaren Gottbezugs. Der Mensch denkt „häufig etwas von Gott, was dieser nicht ist – etwa ein Götzenbild; oder das nicht, was er ist – z. B. ein gerechter Gott. Und weil jemand, der denkt, Gott sei nicht das, was er ist – z. B. gerecht –, damit auch denkt, er existiere nicht, so läßt sich aufgrund eines Begriffsfehlers denken, Gott oder die höchste Wahrheit existiere nicht; dies aber nicht schlechthin und allgemein, sondern nur als Folge ..."[125]

Der schärfste Einwand gegen eine so unmittelbare Verquikkung von Erkenntnis und Gotterkenntnis, wie sie Bonaventura behauptet, liegt im Hinweis auf das Mißverhältnis zwischen Gott und dem Menschen, zwischen dem Woraufhin solcher Gotterkenntnis und ihrem Womit, der bloß endlichen menschlichen Erkenntniskraft. In der Auseinandersetzung mit diesem Einwand unterscheidet Bonaventura zwischen einem Begreifen Gottes, das der Mensch nicht leisten kann, weil Begreifen als Umgreifen ein Gleichgroßsein, ein Gewachsensein voraussetzt, und einem Erfassen (apprehensio), besser gesagt: einem Hinlangen der Erkenntnis an das, was sie nicht begreift; hier ist es das sie Übersteigende, die Wahrheit der zu erkennenden Sache, die sich von sich her zu berühren gibt, sich von sich her dem Erkennen öffnet, es in den eigenen Raum einläßt[126]. Was ich nicht umfasse, vermag mich zu umfassen und darin sich mir, indem es mich einläßt, zu erschließen. Dennoch: Ist Gott nicht zu groß, sprengt er nicht die menschliche Kraft, muß der Mensch nicht eher geblendet sein von Gott, als daß er ihn sehen könnte? Gewiß, im Bereich der Sinne wird die notwendige Proportionalität zwischen Erkenntnisorgan und Erkanntem nicht nur durch ein Zu-klein, sondern auch durch ein Zu-groß zerstört; doch gibt es für die Spannung des Geistes aufs Ganze und Unbedingte nicht eigentlich ein Zu-groß; nur was zu groß ist, ist dem Geist groß genug[127]. Die Tiefe, aus welcher gerade das zu Große, das Überproportionale dem Geist proportioniert sein kann, der Grund, warum das Auslangen nach dem

147

Höchsten nicht scheitert oder sich ver-mißt, ist freilich nicht die abstrakt betrachtbare Konstitution des Geistes, sondern die konkrete Beziehung des menschlichen Geistes zu dem, woraufhin er ist. Dieses Woraufhin ist nicht nur über ihm, sondern in ihm – und dies in doppelter Hinsicht: einmal als die Kraft, die den Schwung des Geistes eröffnet, geleitet und trägt, ja als die Kraft, die im Menschen selbst das trägt, was er zu tragen hat, wenn er die Last Gottes trägt – an dieser Stelle führt Bonaventura das Bild von dem großen Berg ein, der selber die Kraft gibt, ihn zu tragen, und so trag-barer wird als ein kleiner; zum anderen aber auch als die Erfüllung, als die Integration der menschlichen Kraft, ja des Menschseins in sich selbst. Wäre Gott ein bloß äußerlicher Gegenstand, so würde er die Identität des Menschen von ihm wegsprengen, Selbstüberstieg würde zur Selbstentfremdung, zum Selbstverlust. Gott aber übersteigt, transzendiert den Menschen als das, was ihm innerlicher ist als er sich selbst, und so ist die Transzendenz auf ihn hin zugleich Transzendenz zu sich selbst, Sammlung in die eigene Mitte, Vollendung der eigenen Einheit.

Im Kontext solcher lebendiger Beziehung, in welcher Gotteserkenntnis allein geschieht und gelingt, muß auch das bonaventuranische Motiv von der angeborenen Gotteserkenntnis, von der angeborenen Gottesidee verstanden werden[128]. Sie ist nicht einfach ein Bild, das wir mit uns herumtragen, sondern ein Blick, in dem wir angeschaut sind und in dessen Licht schon jeder unserer Schritte geschieht. Das kommt auf doppelte Weise zum Zug. Einmal ist dieser Blick unser Wovonher, zum anderen unser den Anfang bereits bestimmendes Woraufhin. Das Erkennen kommt nicht aufgrund eigener Verarbeitung dessen, was es zuvor schon erkannt hätte, was es zuvor schon wüßte, zu der Idee Gott; sie ist nicht Ergebnis einer Abstraktion oder Konklusion. Sie ist vielmehr die Einholung dessen, was in uns je schon größer ist als wir selbst, größer aber nicht aufgrund eigenen Entwurfs über uns hinaus, sondern im Gerufensein über uns hinaus. Das Bild Gottes, das unsere Erkenntnis in sich trägt – und dann freilich verwandelnd ausgestaltet –, ist im Ursprung ein eingesenktes Bild, ein zugerufenes Wort, in dem Gott sich in sein Anderes hinein abbildet und zusagt. Erweis dessen, daß nicht wir uns dieses Wort zurechtgemacht haben: Dieses Wort, dieses Bild steigert uns, verändert uns über unser Eigenes hinaus, indem es uns zum Eigenen bringt[129]. Gerade das Unruhigsein auf einen Frieden hin, der größer ist als unser Begreifen und Entwerfen, das Gezogensein von einem Ziel, das sich durch keine unserer äußeren Erfahrungen deckt und einlöst, ist für Bonaventura der Widerhall des Anfangs in uns, der größer ist als wir selbst und von dem unser Denken und Sein herkommen. Auch die natürliche Gotteserkenntnis hat so teil an jenem Wegcharakter, der die Theologie Bonaventuras prägt. Bereits als Denkende, die ihr Denken und im Denken ihr Sein verstehen, finden wir uns auf einem Weg, der sich in der geschehenden Nachfolge des Herrn schließlich einholt, der in ihr unser Integriertsein durch das Evangelium des Friedens entdeckt.

2. Die radikalste Antwort auf Gottes- und Seinsfrage: Trinität

2.1 Zugang zur Trinität aus der Nachfolge

Von welcher Wirklichkeit sprechen wir, wenn wir von Gott sprechen? Die Antwort Bonaventuras, die wir aus seinem Zugang zur Wirklichkeit Gottes erhoben haben, ist noch nicht eingeholt, indem wir vom Sein selbst als reiner Wirklichkeit und unendlicher Fülle zugleich gesprochen haben. Aber auch das Verständnis von Sein ist damit noch nicht eingeholt. Bei wohl keinem anderen Denker der großen christlichen Tradition sind in diesem Ausmaß das Gottes- und auch das Seinsverständnis zentriert in der Trinität wie bei Bonaventura. Es kann uns nun im folgenden nicht darum gehen, Bonaventuras hochbedeutsame Trinitätsspekulation in sich auch nur einigermaßen vollständig zu entfalten. Uns leitet vielmehr die Frage: Wie und warum gibt Bonaventura auf die Frage nach Gott und auf die Frage nach dem Sinn und der Struktur von Sein die Antwort: Trinität?

Es legte sich nun nahe, diese Antwort anhand der knappen und tiefen Gedankenführung im 6. Kapitel des Itinerarium nachzuzeichnen. Das dort Gesagte ist indessen einbefaßt und noch schärfer auf unser Interesse zugespitzt in der Collatio XI des Hexaemeron. Ehe wir ihr entlanggehen und von ihr aus einige Perspektiven ins Innere bonaventuranischen Trinitätsdenkens anreißen, versuchen wir, uns durch eine Vorüberlegung den Zugang zu diesem Text und seinen Stellenwert im Kontext reflektierter Nachfolge zu erschließen.

Wir sind bereits einer eigentümlichen Leiter von Begriffen begegnet, die Bonaventura in der genannten Collatio zum gliedernden Einstieg ins Verständnis des Geheimnisses Gottes aufrichtet, und die zugleich die innere Steigerung seiner Logik und seines Seinsverständnisses anzeigt: „... unser durch den Glauben erhobenes Verstehen sagt, Gott sei dreifaltig und eins aufgrund von vier Bestimmungen im göttlichen Sein, und zwar aufgrund seiner Eigenart als Vollkommenheit, aufgrund seiner Eigenart als vollkommener Hervorbringung, hervorbringender Verströmung, verströmender Liebe; und das eine folgt aus dem anderen." [130]

Solche Stufung ist in sich stimmig. Sein ist vollkommenes Sein, wenn es nicht nur an sich gebunden, sondern wenn es über sich hinauszustrahlen und -zugehen fähig ist; höchstes über sich Hinausgehen aber ist jenes Sich-Verschenken, das in einem Seligkeit, Erfüllung ist – und eben dies ist Liebe. Dennoch umschließt solche Stufung einen Umschlagspunkt – oder gar zwei. Daß Vollkommenheit, „Spitze", höchste Höhe sich als Bewegung über sich hinaus, von sich weg, somit aber von der Spitze herab auslegt, daß der Aufstieg gerade dort seinem Scheitel begegnet, wo dieser sich im Absteigen bewährt: dies ist bereits in der Explikation von Vollkommenheit als Produktivität mitgesetzt. Und doch lassen sich Produktivität und Verströmung noch als „Können", als Selbstbestätigung der „Spitze" verstehen, sie legen *das* Paradox aus, das in Vollkommenheit selbst beschlossen ist: Insichstehen vollendet sich als Mächtigkeit, aus sich zu gehen. Wenn dann aber Liebe – und Bonaventuras Durchführung liest Liebe eben auf ein vollkommenes Sich-Verschenken hin, das nicht mehr sich sucht [131] – wiederum die Exegese von Produktivität und Verströmung ist, dann wird ein Unselbstverständliches, Unableitbares, über „bloße" Produktivität Hinausgehendes zum Ziel- und Integrationspunkt des Ganzen, der auch bereits den Anfang, die „Vollkommenheit" als das Woraufhin des Aufstiegs, in einen anderen, neuen Kontext rückt. Die eine Stufenleiter verbindet unterschiedliche Ansätze; die oberste Stufe ist nur dann die Konsequenz der unteren, wenn die untere bereits von der oberen her gesehen und gesetzt wird. Somit radikalisiert sich in unserer Leiter ein durch die Bestimmung der Vollkommenheit markiertes Seinsdenken hin zu einem theologischen Seinsverständnis aus der Mitte sich verschenkender Liebe; sich verschenkende Liebe legt sich ihrerseits aus in Seinsdenken, das sie in einem wahrt und wandelt.

Was passiert, wenn ein Denken eine solche Kehre und in dieser Kehre doch einen konsequenten Weg durchmißt? Aus welcher Situation erwächst dieses Denken? Man könnte sich mit der Antwort begnügen: aus der Begegnung antiken, vor allem platonisch-neuplatonischen Gedankengutes mit der christlichen Botschaft. Aber warum begegnen sich beide, und woher kommt es zu einer solchen Neues zeugenden, sich ins Eigene abhebenden Gestalt wie bei Bonaventura? Ein über den geschichtlichen Anlaß hinausweisendes, im franziskanischen Ursprung aber gedecktes Modell: die Situation der Nachfolge. Wer Christus, wer seinem Ruf nachfolgt, dem geht es – man könnte sagen wie dem reichen Jüngling, der den Meister fragt – um die Vollkommenheit. Er ist bereits aufgebrochen über sich selbst hinaus, schaut sich bereits um nach dem, wofür sich Leben lohnt, was der Sinn, die Spitze, die Erfüllung des eigenen Daseins und nicht nur des eigenen ist. Es geht ihm ums Ganze, ums Höchste: ums Vollkommene. Und dann trifft er nicht etwa auf eine Idee, die ihn einlädt, sie mit- und weiterzudenken, damit sie ihm erfüllendes Ziel seiner Suche sei und damit sie in seinem Leben Gestalt werde; er trifft vielmehr auf einen, der ihm entgegenkommt, er trifft in Jesus Christus auf die Kunde, daß Gott selbst ihm entgegenkommt, daß Gott sich herabläßt und einläßt in diese Welt: Herrschaft Gottes. Da *bleibt* Gott die Spitze, da bleibt Gott das Oben, der Vollkommene. Ja, einer ist allein gut: Gott. Aber diese Spitze, die sich darin als solche bewährt, daß sie aufruft, alles Andere zu lassen, läßt sich ihrerseits hinein in die unvollkommene Wirklichkeit der Welt und des Menschen. Herrschaft Gottes ist höchste Höhe Gottes in seinem überraschenden, unerrechenbaren Zukommen, in seinem Einbruch nach unten. Und so kann es gar sein, daß einer, der nicht aufsteigen wollte, der gar nicht zum Vollkommenen aufblickte, vom Ruf mitgenommen wird und erst, indem er ihm folgt, entdeckt, daß insgeheim auch er schon je zum Höchsten, zur Spitze hin tendiert. Der Abstieg der Liebe integriert, ja entbindet erst den Aufstieg, Vollkommenheit und Liebe gehören zusammen in Gott. Um was es mir geht in meinem Sein, wohin alles Sein strebt, das ist mehr, ist größer als nur das Sein selbst, als nur jene Vollkommenheit, über die hinaus *ich* keine größere mehr denken kann. Wenn dieses Größere, wenn die Liebe, wenn der Gott, der Liebe ist, sich gibt, „steigert" sich auch Sein und Gottsein nochmals. Sein ist Herkunft aus der Liebe und hat in der Liebe seine Zukunft, Liebe legt sich aus ins Sein und ruft je schon zu sich im Sein.

Solches ist im Nachfolgeruf Jesu nicht nur Botschaft, sondern Ereignis, zu dem der Ruf, zu dem der Rufende selbst hinzugehört. In ihm, in Jesus geht Gott der sich reflektierenden Nachfolge auf als der Sich-Gebende, als jener, zu dessen Sich-Geben *und* zu dessen Einheit, zu dessen Vollkommenheit *und* Sich-Äußern, ja Sich-Entäußern dieser Jesus hinzugehört. Nachfolge stößt, sich reflektierend, in ihrer eigenen Konsequenz durch zu Gott als dem Einen und Dreifaltigen.

2.2 Spekulativer Zugang zur Trinität

Der spekulative Grundgedanke in der XI. Collatio des Hexaemeron entfaltet in zweimaligem Ansatz, wie Gottes- und Seinsverständnis sich im glaubenden Verstehen des Dreifaltigen vollenden, wie dort die Gottes- und Seinsfrage ihre letzte Antwort finden. Der eine Ansatz folgt der erwähnten Leiter von der Vollkommenheit über die Hervorbringung und die Verströmung zur Liebe; er legt das Oben, das Sein selbst, das Vollkommene, er legt Gott aus seinem Eigenen in sein Eigenstes hinein aus[132]. Der andere Ansatz geht von unten, näherhin von jener teilhaften Vollkommenheit aus, die sich in den Geschöpfen zeigt und die aus sich selbst nicht zu dem hinfindet, woraufhin sie angelegt ist: wirkliche, integrale, ganze Vollkommenheit, die sich als ihr eigener Komparativ, als dreifaltige Liebe entbirgt[133].

Der Weg des Gedankens von der Vollkommenheit bis hin zur Liebe erreicht – wir sind ans Itinerarium erinnert – sein Ziel, die Dreifaltigkeit Gottes, nicht nur am Ende, sondern auch unmittelbar auf jeder Stufe. Bereits die einzelnen Grundbestimmungen lösen, wenn der Glaube einmal die Botschaft vom Dreifaltigen ins Denken eingeführt hat, nicht mehr ein, was sie meinen, solange nicht die drei-eine Struktur ihre innere Dynamik vollendet.

Vollkommenheit heißt Drei-Einigkeit

Vollkommenheit wird von drei Seiten her bestimmt: Vollkommenheit als Ursprünglichkeit, Vollkommenheit als Ordnung, Vollkommenheit als unteilbare Einheit. Dem liegt eine eigentümliche „Phänomenologie" des Vollkommenen zugrunde: Vollkommen ist, was in sich selbst mächtig ist über sich hinaus (Ursprung); was in sich selber stimmig ist, in seiner eigenen Proportion so auf sich zurückläuft, daß der das Vollkommene suchende Aufstieg nicht mehr weitergedrängt ist (Ordnung); was so unzerreißbar sich selbst gehört, daß keine äußere oder innere Macht es zu spalten und somit in Frage zu stellen vermag (unteilbare Einheit)[134].

Vollkommenheit des *Ursprungs:* Sein, von dem Anderes ausgeht, also Ursprunghaftes ist vollkommener als solches, das in bloßer Vorhandenheit auf sich selbst gebannt ist. Ursprünglichkeit selbst erreicht wiederum ihre Spitze, wo ihr Entsprungenes nicht nur Vorhandenes ist, sondern Ursprung, der anderen Ursprung entspringen läßt. In höherem Maße aber als beim dreifaltigen Gott läßt sich solche Ursprünglichkeit nicht denken, und wo sie anders denn als dreifaltige Ursprünglichkeit gedacht ist, da ist ihre Vollkommenheit *als* Ursprünglichkeit gerade nicht erreicht. Dieser erste Gedanke ist der Grundgedanke des Ganzen, der sich in seinen folgenden Spielarten bestätigt und durchklärt.

Vollkommenheit als *Ordnung:* Nur dann, wenn Ursprünglichkeit sich ganz aus sich bringt, aber auch ganz in sich zurückbringt, ist sie vollkommene Ursprünglichkeit. In sich selber durchmißt sie, um vollkommen zu sein, so die Stationen von Anfang, Mitte und Ziel[135]. Diese dürfen aber nicht auseinanderfallen, sondern müssen im selben bleiben, und sie müssen jede in sich das Ganze enthalten. Gleichwesentlichkeit und Differenz aller Pole der Relation sind Zeichen der vollkommenen Ordnung. Diese Ordnung nun ist als Ordnung des einen Ursprungs Ordnung von Drei-ursprünglichkeit. Zweifaltigkeit müßte, so oder so, zur Konfusion führen[136]: Entspränge dem ersten Ursprung nur ein weiter-entspringen-lassender Ursprung, so verlöre sich Ursprünglichkeit in der Richtung von sich weg; faßte sich Ursprung in einem nur entsprungenen Ursprung, so käme sie nicht *als* Ursprünglichkeit hervor, sie entflöhe als Ursprünglichkeit in ein sichtloses, grenzenloses Woher. Vollkommener Ursprung faßt sich in den Ursprung, der mit ihm zusammen jenen rein entsprungenen Ursprung setzt, der das Zusammengehören der Ursprünge und somit das Ganze re-flektiert, Ursprünglichkeit in einem endgültigen „Ja so ist es gut, ja so soll es sein" zu sich bringt, zu sich bringt aber gerade so, daß darin Ursprünglichkeit als Sich-Überschreiten, Sich-Mitteilen gewahrt und offen ist. Über-sich-Hinaussein, In-sich-selbst- und in sich selbst Am-Ziel-Sein, gehören in der Ordnung des Ursprungs zusammen; d. h., der Sohn, von dem der Geist mitausgeht, und der Geist, der von beiden ausgeht und in dem sie in sich zurückgehen, gehören in den Vollzug der absoluten Ursprünglichkeit Gottes. Hier und anderwärts legt Bonaventura daher auf das „filioque", darauf also, daß der Heilige Geist vom Vater und vom Sohn zugleich ausgeht, nachdrückliches Gewicht[137].

Vollkommene Ursprünglichkeit würde demnach unterboten, wo sie entweder als Zweieinigkeit verstanden würde oder aber wo nur zwei „Söhne" oder zwei „Heilige Geister", d. h. wo zwei bloße Mittel- oder zwei bloße Endpunkte dem Vater entsprängen. Der ungezeugte Ursprung, der einziggezeugte und mithauchende

Sohn, der von Vater und Sohn gehauchte Geist sind die Strukturmomente vollkommener Ursprünglichkeit. Vollkommenheit der Ursprünglichkeit bewährt sich nur als Vollkommenheit der Ordnung: hier ist in letzter Instanz der Hinweis aus dem Itinerarium eingelöst, der die Unbedingtheit, die Unzerreißbarkeit Gottes aufdeckt in der Proportion, in der Beziehung, in jener Ordnung, die Verhältnis, Mitursprünglichkeit besagt.

Vollkommenheit der unzerreißbaren *Einheit:* Dieses Thema setzt mit innerer Stringenz das der Vollkommenheit der Ordnung fort. Bonaventura geht die unterschiedlichen Weisen, wie Einheit vorkommt, durch und stellt fest: Ein in sich einfaches Prinzip ist nicht fähig, aus sich allein, aus seiner Einfachheit Anderes bereits zu konstituieren – seine Einheit ist zu schwach, um vollkommen zu sein; Einheit, wie sie in Konstituierten vorkommt, weist auf konstituierende Einheit zurück und ist auch in sich nicht mehr einfache Einheit – sie trägt sich nicht selbst; Einheit in den universalen Bestimmungen kommt nicht vor an sich selbst, sondern an dem, wovon diese Bestimmungen abgelesen sind; individuelle Einheit ist Vorkommen der einen Form, der einen Wesensgestalt im Medium ihres Anderen, in der Materialität; Einheit zwischen freien Subjekten kommt nur vor als Eintracht, die von jedem einzelnen ihrer Partner her gefährdet bleibt; Einheit der Natur, der konkreten Wesenheit schließlich kommt nur vor in der Auflöslichkeit wirklicher Existenz. Vollkommene Einheit ist daher Einheit vollkommener Ursprünglichkeit, die sich als vollkommene Ordnung, vollkommenes Zueinander dreifaltigen Ursprungs zeigt.

Trinitarische Produktivität
ist Grund schöpferischer Produktivität

Vollkommenheit ist für Bonaventura nicht zu trennen von Produktivität, Hervorbringung. Aber Produktivität hat außerdem ihre eigene, innere Dynamik, die von sich her wiederum zum trinitarischen Ursprung hinführt – dem geht Bonaventura auf der zweiten Stufe seines Gedankens nach[138]. Hier zeigt Produktivität in sich selbst eine vertikale Stufung. Diese spielt zwischen dem Ursprung, einem ihm entsprechenden, gleichartigen und innerlichen Produkt und einem durch beide erst ermöglichten andersartigen, den Ursprung unterbietenden, äußeren Produkt. Inwiefern dies auch bei naturaler Produktivität im Sinne Bonaventuras der Fall ist, braucht uns hier nicht zu beschäftigen. Daß es auf geistige Produktivität zutrifft, wird aus dem Zusammenhang zwischen Sprechendem, Gedanken und Wort oder Künstler, Idee und Kunstwerk deutlich: ohne Gedanke kein Wort, ohne Idee kein Kunstwerk – ohne inneres, „gleichartiges" kein äußeres, „andersartiges" Produkt. Bonaventura folgert nun: Wenn es Schöpfung gibt, dann muß es im Schöpfer auch eine Produktivität geben, die Schöpfung ermöglicht; diese begründende Produktivität kann aber den göttlichen Ursprung nur einholen, wenn sie ihm unbedingt Entsprechendes, Gleiches und Innerliches hervorbringt. Dies nun zeigt Trinität als Voraussetzung von Schöpfung an.

Bonaventura selbst macht sich den Einwand, ob nicht auch *vor* der Offenbarung des dreifaltigen Gottes bereits Schöpfung gedacht worden, ob also nicht doch Schöpfung denkbar sei ohne Trinität. Seine Antwort: in einem vorläufigen, nicht durchdringenden Sinn ja; doch erst durch die Selbstoffenbarung Gottes enthüllt sich dem Denken die letzte Tiefe des Grundes der Möglichkeit von Schöpfung.

Ein zweiter Einwand trifft nicht den Gedanken Bonaventuras, sondern unsere Hinführung: Innerhalb geschöpflicher Produktivität unterbietet nicht nur das äußere, sondern auch das vermittelnde Produkt seinen Ursprung; der Gedanke enthält und erschöpft nicht den Denkenden, die Idee nicht den Künstler. Bonaventura selbst macht dies in einem späteren Abschnitt derselben Collatio deutlich. Worum es ihm hier aber geht: *Wenn* es Produktivität gibt, die ein dem Ursprung gegenüber andersartiges, ihn unterbietendes, ihm äußerliches Produkt setzt, dann liegt die Bedingung der Möglichkeit solcher Produktivität in einer voraus-gesetzten Produktivität: der des Gleichartigen, Entsprechenden, Inneren.

Der nächste Schritt Bonaventuras, der Sich-Verströmen als Grundbestimmung Gottes entfaltet, greift einen auch anderwärts von ihm ausgeführten, eigentümlichen Gedanken auf, den man mißverständlich mit der Bezeichnung „ontologisches Trinitätsargument" belegen könnte [139]; denn in seinem Zentrum steht das Grundmotiv des anselmischen ontologischen Arguments für die Existenz Gottes: Das, über das hinaus nichts Größeres gedacht werden kann, schließt Existenz mit ein. Die Achse des bonaventuranischen Gedankengangs schwingt in der klassischen Bestimmung des Gutseins als Sich-Verströmen (bonum est diffusivum sui).

Gut ist das, was den Willen als erfüllend anzieht, das, woraufhin überhaupt also Streben zu zielen vermag. Liest man diese Bewegung jedoch vom Ziel, vom Wohin des Strebens und somit vom Guten selbst her, so heißt sie eben: Gut ist das, was das Streben erfüllt und zu sich bringt; gut ist das, was sich *als* gut mitteilt. Auch wenn wir einem Menschen sagen „Du bist gut", so heißt dies doch: So, wie du bist, und das, was du bist, kann man sein wollen – und zugleich: Du bist so, daß du dich und dein Sein und Haben nicht für dich behältst, sondern daß es für mich etwas bedeutet und daß es von dir her zu mir herstrahlt, zu mir herkommt. *Wenn* der in unserer Zugangsbetrachtung markierte Wendepunkt von Vollkommenheit zu Gabe sich in metaphysischer Tradition ausdrükken läßt, dann gerade in dieser Bestimmung. Bonaventura versteht sie radikal, und das heißt: er versteht sie auf dem Hintergrund der christlichen Botschaft der Liebe; es heißt aber auch: er versteht sie als bis in ihr äußerstes Ende hineinzudenken. Und so eben erwächst ihm sein „rationalistisches" Argument für die Trinität, von dem er freilich weiß, daß es einzig getragen ist durch die Positivität der Selbstgabe, der Selbstmitteilung des dreifaltigen Gottes in der Offenbarung.

Der Kern des Gedankens: Wenn Gut-sein zu Gott gehört, Gut-sein aber Sich-selber-Geben heißt, dann gehört zum Selbstsein Gottes, zu seiner Gottheit, sich auf die vollkommenst mögliche Weise zu geben, auf jene Weise zu geben, über die hinaus keine größere gedacht werden kann. Vollkommen gibt sich Gott nur, wo er sein eigenes Wesen gibt, und er gibt sein vollkommenes Wesen nur dort vollkommen, wo es vollkommen empfangen werden kann, nur dort, wo Gott sich als Gott in sich selber setzt und als Gott in sich selbst empfängt. Daß dies nur in Dreiursprünglichkeit geschehen kann, haben wir bereits gesehen. Dann aber gehört es zum Gott-Sein Gottes, daß er dreifaltige Ursprünglichkeit ist. Und wo er sich als Dreifaltiger in seiner Fülle über sich hinaus gibt – gerade Bonaventura denkt an die Fülle der Gnade in Maria –, da bleibt doch diese Mitteilung nach außen „nur" geschöpflich und setzt als solche die überbietende und vorgängige innertrinitarische Selbstmitteilung voraus.

Selbst wenn man gegen das anselmische Argument die Frage erhöbe – die Bonaventura aus seiner Position nicht zu erheben braucht –, ob hier nicht ein unzulässiger Übergang von der Ordnung des Gedankens in die der Wirklichkeit vorliege, so hätte sein Argument dennoch dort Stringenz, wo der Weg nicht vom Wesen zur Existenz Gottes führt, wo also die Existenz Gottes als solche nicht bewiesen, sondern ausgelegt werden soll. Wenn Gott Gott ist, dann ist er das, worüber hinaus nichts Vollkommeneres gedacht werden kann, und wenn – durch Offenbarung erschlossen – der Gedanke der vollkommenen trinitarischen Selbstmitteilung der höchstmögliche ist, der das Gut-sein Gottes auszulegen vermag, dann trägt der Gedanke das Recht in sich, ihn als wirkliche Bestimmung des wirklichen Gottes zu betrachten.

So „künstlich" derlei Denkoperationen aufs erste erscheinen mögen, so wenig darf uns dies doch von der Mitte der leitenden Intuition abdrängen: Kommunikation, Selbstgabe, Selbstmitteilung ist, jedenfalls aufgrund der Offenbarung, das Höchste und Innerste, was uns vom Geheimnis des je größeren Gottes zu denken aufgetragen ist. Dann aber erreicht unser Denken Gott noch am ehesten in seinem unsäglichen Geheimnis, wenn es ihn als reine und radikale Communio, als Dreieinigkeit denkt. Wie sehr auch die großartigsten, auch die am tiefsten aus Offenbarung und erleuchtender Gnade erwachsenden Denkoperationen den heiligen Gott je unterbieten, ist Bonaventura gerade hier bewußt. Dem 6. Kapitel des Itinerarium, das denselben Gedanken darstellt, folgt das 7., das uns die reine Weggabe eigenen Spekulierens und Schauens in die bloße Initiative Gottes durchs „Sterben" hindurch anempfiehlt. Als Kontext zur Collatio XI des Hexaemeron muß des weiteren die Collatio II gelesen werden, wo von der „ungestaltigen" Weisheit als der Vollendung allen Wissens und Glaubens die Rede ist.

Vollkommene Liebe heißt dreifaltige Liebe

Bonaventura setzt über die Spekulation des sich selbst verströmenden Guten noch die letzte Stufe, die in äußerster Knappheit die entscheidende Bestimmung einführt: die Liebe[140]. Er unterscheidet zwischen reflexiver, konnexiver und caritativer Liebe, d. h. zwischen Liebe, die sich auf sich selbst zurückbeugt, Liebe, die mit einem anderen verbindet, und Liebe, die schlechterdings Liebe ist. Reflexive Liebe ist die ärmste, die unterste Gestalt. Liebe, die sich auf einen anderen richtet, ist mehr Liebe, weil sie verschenkt, reicher macht und darin reicher ist. Vollkommen ist aber erst jene Liebe, die reines Verschenken, darin reiner Weggang und reines Zugehen ist. Bonaventura sagt karg: „Caritative Liebe ist vollkommener als die anderen, sie hat den Geliebten und den Mitgeliebten; also gehört sie zu Gott."[141]

Wieso ist nur jene Liebe ganz Liebe, in welcher der Liebende seinen Geliebten und Mitgeliebten hat? Liebe, die sich aufs Nur-Du beschränkt, kommt *als* Liebe nicht eigentlich in den Blick; denn entweder konzentriert sie sich und den anderen nur aufs Ich, oder sie konzentriert sich und den anderen nur auf den anderen – wenn sie aber beide aneinander freiläßt und beide aufeinander zuläßt, dann ist sie bereits „dreipolig". Die augustinische Formel, daß, wer liebt, die Liebe selber liebt[142], kann dem Verstehen einen Einstieg erschließen: Der Liebende will den Geliebten, geht auf ihn zu, sagt insofern also: Nur du; aber er sagt es so, daß darin auch er selbst da ist, er will sich als liebend; darin aber will er sich im Geliebten und in sich den Geliebten, er will die Beziehung selbst, sie ist die Freigabe des anderen und an den anderen, die aber erst dann sich und ihn ganz freigibt, wenn sie auch an seiner Ursprünglichkeit, an seinem Wiederlieben und Selberlieben interessiert ist; darin schließlich ist sie interessiert am Lieben als solchem, das so in seiner eigenen fundamentalen und zugleich den Vorgang vollendenden Ursprünglichkeit aufgeht. Dieses Modell geht freilich von der endlichen Liebe aus und muß auf das unbedingte Niveau transponiert werden, auf das hin Bonaventura denkt. Dann ist der Liebende von sich her Liebe selbst, die sich verschenkend ihren schlechthin Anderen, den Sohn als göttliche Person, in sich selbst, konstituiert. Sie konstituiert ihn aber eben so, daß darin sein Lieben ganz von sich aus, sein Lieben von ihm her mitkonstituiert ist, und indem beide einander die Liebe zusprechen, die sie sind, sprechen sie sich jenen Selben zu, in dem ihre Liebe *als* Gegenseitigkeit, als ganze und reine Liebe vollendet ist: den Mitgeliebten, den Heiligen Geist.

Solche Liebe ist, nach der Aussage Bonaventuras, rein, voll und vollkommen; rein in der initiativen Wegwendung des Vaters von sich, voll als ankommende und ausgehende (effluens et effluxa) im Sohn, vollkommen als sich selber in ihrer Fülle und Gegenseitigkeit einholend (refluxa) im Heiligen Geist. Nur in der Perspektive der Liebe wird auch deutlich, wieso die „passiven" bzw. „rezeptiven" Momente, die im Konstituiertsein von Sohn und Geist enthalten sind, Momente positiver, absoluter Ursprünglichkeit zu sein vermögen: Sich-unbedingt-Empfangen ist in der Ordnung der Liebe kein Minus zum Geben; die verschiedene Position der Personen in der trinitarischen Liebesbeziehung ist gerade deren Fülle.

Hier ist die Stelle, noch einen Blick über den erklärten Text hinaus zu tun, um das Liebesein Gottes und seinen Ausdruck in der Trinität von einer weiteren Seite zu verdeutlichen[143]. Bonaventura führt verschiedentlich aus, daß die Zeugung des Sohnes auf die Weise der Natur, die Hauchung des Geistes auf die Weise des Willens geschehe, wobei Natur, Notwendigkeit und Wille, Freiheit sich aber nicht gegenseitig aus-, sondern einschließen.

Gott ist Liebe; und gerade weil er nichts als Liebe ist, kommt Liebe in verschiedener Stellung vor. Sie ist das schlechthin Erste, und ihre Erstheit ist Ursprungsfülle – dies „ist" der Vater[144]. Die Ursprungsbewegung von Liebe verbindet aber die zwei sich gegenseitig einschließenden Momente: Natur und Wille, anders gewendet: Notwendigkeit und Freiheit. Gott kann nicht Nichtliebe sein; er ist mit sich nur identisch, sofern er Liebe ist; wäre er nicht Liebe, so wäre er nicht Gott, so wäre er nicht. Und doch geht in Gott nicht Natur dem Akt, der Wirklichkeit voraus wie bei endlichen Seienden, die nur aus der vorumgreifenden Maßgabe dessen, was sie sind und sein können, zu existieren vermögen. Gottes Nur-Liebe-sein-Können ist zugleich und in keiner Weise weniger sein Nur-Liebe-sein-Wollen. Seine Notwendigkeit ist seine Freiheit, seine Freiheit ist seine einzige, aber (im Unterschied zur endlichen Freiheit) ihm und ihr selbst nicht vorgängige Notwendigkeit. Daraus folgt aber: In seiner mit ihm selbst identischen Ursprungsbewegung setzt der Vater als erster Ursprung notwendig, als den Vollzug seiner Natur, einen Ursprung aus sich, den er liebt und der ihn liebt: den vollen Ausdruck, die volle Wieder-holung seiner selbst, worin er als Liebe und als Ursprung allererst hell und „da" ist. Zugleich aber ist dieser „notwendige", „naturhafte" Ausgang des Sohnes Vollzug der Freiheit, der Liebe, der un-notwendigen Zuwendung des Vaters zum Sohn, und ist die Ursprünglichkeit des Sohnes Ursprünglichkeit der Antwort ebenso „geschuldeter" wie freier, alle Notwendigkeit übersteigender Hinwendung zum Vater. Darin aber, im Zueinander von Vater und Sohn, geschieht Liebe als das gemeinsame, freieste Worumwillen, als das eine Geschenk von Vater und Sohn aneinander, das seinerseits sie einander schenkt. Dieses Geschenk, das sich der Liebe des Vaters und Sohnes, ihrer Freiheit verdankt und sie ihnen dankt, gehört aber seinerseits *in* solcher Freiheit notwendig zum Leben Gottes – in der Natur, der Notwendigkeit, die den Sohn hervorgehen läßt, ist die sich schenkende Freiheit offen, im Wollen, in der Freiheit, die den Geist aus Vater und Sohn hervorgehen läßt, vollzieht sich die Natur Gottes, die eben gerade das unbedingte Mehr *bloßer* Notwendigkeit ist. Bloße Notwendigkeit und bloße Freiheit gibt es nicht, wo es die ganze Notwendigkeit und die ganze Freiheit gibt, welche zur Liebe gehören, als welche Liebe sich vollzieht.

Trinität als Integration von Schöpfung

Die zweite Zugangsweise Bonaventuras zur Dreifaltigkeit innerhalb der Collatio XI des Hexaemeron setzt nicht bei jener Deklination der Vollkommenheit an, die zu Gott gehört und ihn am Ende als Liebe erweist, sondern unten, bei den Geschöpfen. Sie blickt von ihnen her auf das, wonach sie tendieren, was sie mit ihrer partiellen Vollkommenheit „meinen" und nicht erreichen. Ein kurzer Blick auf den reichen Text, der von anderer Seite die Schöpfungstheologie des Itinerarium nochmals aufgreift, genügt hier, um das Zulaufen bonaventuranischen Seins- und Weltverständnisses auf seine trinitarische Grundantwort zu erhellen.

Die Vollkommenheit der geschaffenen Dinge bedeutet Bonaventura Vollkommenheit ihrer Produktivität, und er entfaltet diese in drei aufsteigenden Stufen, die selbst wieder in je vier Ausformungen vorgestellt werden: Ausströmen (diffusio), Ausdruck (expressio), Fortpflanzung (propagatio)[145]. Was besagt solche Stufung? Sie fängt beim Verströmen im Sinne noch unspezifischen Ausgehenlassens einer Wirkung von einer Ursache an; Bonaventura erinnert an das Licht, das den Glanz, an das Feuer, das die Wärme, an die Quelle, die den Fluß, und an die Wolke, die den Regen gibt. Ausdruck bedeutet demgegenüber eine Steigerung. Hier gibt die Ursache sich selbst und nicht nur etwas der Wirkung mit; die Wirkung ist Mitteilung, Gestalt, in welcher der Ursprung *als* Ursprung aufgeht – Bonaventura erinnert an das Erscheinungsbild, das jeder Gegenstand, an das Prägebild, das eine Kunstform, an die Rede, die ein Sprechender, an den Gedanken, den der denkende Geist hervorgehen läßt. Nochmals eine Steigerung bezeichnet jene Fortpflanzung, in welcher der Ursprung nicht nur sich mitteilt, sondern seiner Wirkung ihrerseits Selbständigkeit, In-sich-Sein einstiftet – der Same läßt den Sproß, die Wurzel den Baum, der Schoß die Leibesfrucht, ein Vater seinen Sohn entspringen.

Wie verweist die in solchen Stufen angeschaute Ursprünglichkeit auf den unbedingten, trinitarischen Ursprung? In keiner dieser Produktionen holt die Wirkung ihre Ursache voll ein; immer intendiert Hervorbringen von seinem ontologischen Drang her mehr, als der Prozeß einholt. Die ganze Schöpfung wird so zu einem Spiegel *der* Ursprünglichkeit, welche sie meint – aber innerhalb der Schöpfung kann dieser Spiegel nicht zusammengesetzt, nicht zur Synthesis gebracht werden; und so wird die Schöpfung zugleich zu einem Ausdruck ihrer eigenen Defizienz, zu einem bloßen Verweis auf jene Ursprünglichkeit, die sie aus sich nicht erreicht und die doch ihr Worumwillen ist.

Wo nun liegen die Bedingungen dieser Synthese? Wie kann, um ein einziges Beispiel Bonaventuras herauszugreifen, das Wort von seiner eigenen fatalen Alternative befreit werden: entweder lebendiges, unmittelbares, so aber gerade verfliegendes *oder* fixiertes, somit bleibendes, aber in seiner Schriftlichkeit der Unmittelbarkeit lebendiger Situation entbehrendes Wort zu sein? Alle Unterbietungen des Gemeinten und alle Dialektik der bloßen Endlichkeit sind dort aufgehoben, wo die für menschliches Begreifen viel tiefere Dialektik aufbricht, die aber gerade Vollzug innerster Einheit ist: Dialektik dreifaltig sich verschenkender Ursprünglichkeit, die reines Über-sich-Hinaus und reines Insich, volle Mitteilung und vollen Selbststand, absolutes Sich-Geben und absolutes Sich-Haben unzerreißbar miteinander verbindet.

2.3 Trinität: Spekulation oder Antwort?

Wir sind ausgegangen von der elementaren Frage: Als was legt sich zutiefst die Wirklichkeit, die der Name Gott nennt, für Bonaventura aus? Und zugleich: Wie versteht er Sein? Der Mitgang mit seinen Aussagen über die Trinität sollte uns Antwort geben. Aber hat sich diese Antwort nicht zerfasert in eine Fülle sublimer Bestimmungen, Spiegelungen, Stufungen?

Daß Gott ist, hat Bonaventura aus dem Stoß reiner Wirklichkeit heraus erhoben, der unser Denken allererst in Gang bringt und der es in Antwort und Verantwortung ruft. Gerade darin war aber aufgegangen: Dieser Stoß reiner Wirklichkeit ist kein blindes Daß, sondern Ursprung, Licht und Geschenk. Nur in diesen drei Momenten ist alles aufgegangen, alles da, alles integriert, was uns begegnet und bewegt, was ist und sein kann. Gott ist nur Gott, wenn er der Gott des Ganzen ist, und er ist nur Gott des Ganzen, wenn seine Wirklichkeit eben Mächtigkeit, Wahrheit und Gutheit, wenn Gott also Ursprung, Licht und Geschenk ist.

Diese Selbstauslegung der ersten, gewährenden Wirklichkeit, von der aus wir uns, unser Denken und unsere Welt gewährt finden, tritt nun in die Positivität des Offenbarungswortes ein und wird im Geschehen der glaubenden Annahme dieses Wortes, in der reflektierenden Nachfolge seines Rufs zur Botschaft vom dreifaltigen Gott. Der unverdenkliche Aufbruch, von dem alles ausgeht, darf Vater heißen. Dies können nicht wir verfügen, nicht wir herausanalysieren. Aber es ist uns in der Botschaft, im Leben und im Geschick Jesu zugesagt. Und in diesem Jesus, der die authentische Lichtung des Vaters ist, sind auch wir selbst, ist auch die Welt, sind sogar Schuld und Tod und Widergöttliches gelichtet. Von ihm her gibt sich alles zu verstehen als das, was es ist. In seiner Herkunft vom Vater und seinem Hingehen zum Vater ziehen sich auf alles zu und von allem her die Linien auf den Vater aus, alles ist mitgerissen in den Weg Gottes zu uns und unseren Weg zu Gott, in den Weg, der Jesus Christus heißt. Dieses Licht Gottes, das in Jesus Christus scheint, ist nicht ein Licht, das er „nachträglich" für uns in der Welt angezündet hat; es ist das Licht, das zum Ursprung Gott selbst gehört, das Wort, in dem er sich selbst erschließt, es ist der anfängliche Aufbruch des Ursprungs, welcher der Vater ist, selbst. Wer aber Jesus Christus begegnet und in ihm dem Sohn und Wort des Vaters und somit dem Vater selbst, der ist nicht nur dem Vater und dem Sohn begegnet; auch, ja zuerst ist etwas anderes mit ihm geschehen. Er ist angezogen, hineinbezogen in eine Beziehung, die ihn bewegt, die sein Innerstes aufsprengt und mitnimmt, damit sie überhaupt im Sohn den Vater sehen und durch den Sohn Vater sagen kann und damit sie vom Vater aus in Jesus sein erstes und endgültiges Licht, damit sie in ihm den Sohn, unseren Herrn und Bruder erkennen kann. Niemand kann sagen: Herr ist Jesus, und niemand kann sagen: Abba, Vater, außer im Heiligen Geist. Er ist jenes Geschenk in uns, das sich erschließt als das Geschehen zwischen Vater und Sohn, in dem für uns und für Gott selber als letztes gilt: Gott ist Liebe.

Ursprung, Licht und Geschenk sind so nicht mehr nur Auslegungen, Dimensionen, das eine Licht brechende Strahlen des ersten Ursprungs, wenn wir von uns aus in ihn blicken. Was in solchen Bestimmungen und Strahlen uns unabweislich aufscheint, zeigt sich uns nunmehr als das innerste Selbstgeschehen Gottes, das sich uns mitteilen, das uns in sich aufnehmen will.

Damit geschieht freilich ein Mehrfaches: Einmal wird die Positivität der Botschaft vom Vater und vom Sohn und vom Heiligen Geist und darin vom einen Gott, der sie sind, unserem Verstehen aufgeschlüsselt, wird sie, ohne aus ihrer Unverfügbarkeit herauszutreten, dennoch uns zu-, in unser Denken hineingewandt – wer solches um der Größe Gottes willen ablehnte, der wiese die Souveränität des Gottes zurück, der sich schenken will und sich schenken kann und darum auch als Sich-Schenken in sich selbst uns aufgehen kann. Zum anderen legen sich aber auch Seinserfahrung und Seinsverstehen, zu denen der ursprunghafte, lichthafte und geschenkhafte Charakter des Seins und mehr noch der Quelle des Seins gehören, neu aus: Ihr Text wird lesbar vom authentischen Wort her, in dem Gott selbst sich als der Dreifaltige, als Ursprung, Licht und Geschenk mitteilt – trinitarische Integration des Seinsverständnisses von oben her. Zum dritten: Wenn Gott selbst Liebe ist, die sich als Liebe in sich selber schließt und zugleich über sich selbst hinaus mitteilt, und wenn zu solchem Liebesein Dreifaltigkeit des Ursprungs, vollkommene Selbstmitteilung in sich selber gehören, dann werden Gottes- und Seinsverständnis in ihrem Grundcharakter und nicht nur in ihren Momenten davon neu „gestimmt". Dreifaltige Liebe ist Einheit, die als Beziehung, als Proportion, als „Ordnung" aus mehreren Ursprüngen und doch in einem einzigen alles durchgreifenden Gang sich vollbringt. Proportionalität, Mehrursprünglichkeit, Communio, kurzum: das, was man mit Struktur im vollen Wortsinn bezeichnen kann, wird so Grundfigur des Denkens, in der sowohl der Gott, welcher drei-

165

faltige Liebe ist, wie das Sein, in das hinein er sich öffnet, wie die Offenbarung, in welche er sich seinem Anderen, seiner Welt erschließt, sich auslegen[146]. Schließlich: Wo – wie bei Bonaventura – Trinität aus ihrer bloßen dogmatischen Punktualität heraustritt und das Ganze des Gottes- und Seinsverständnisses prägt, da verwandelt sich konsequenterweise auch die Sicht der Welt, die Sicht der Schöpfung. Sie „spricht" nicht nur, ja nicht einmal vor allem von der einen Ursache, ohne die sie nicht verstehbar wäre, wobei diese Ursache durchaus die verschiedenen Dimensionen als Wirk-, Vorbild- und Zielursache hat, sie spricht vom dreifaltigen Gott selbst und spiegelt ihn, indem sie seine Spuren in sich vorweist und auf seine alles Geschöpfliche übertreffende, ermöglichende und einholende Fülle hinweist.

Mit einem Satz: Die Wirklichkeit, die Gott ist, heißt Liebe, die gerade darin als ganze Liebe aufgeht, daß sie bereits in sich selber Liebe ist – und das heißt in der denkenden Auslegung Bonaventuras eben: Sich-Schenken, Proportionalität, Gegenseitigkeit. In solcher Struktur von Liebe decken sich die Urwirklichkeit und alle Wirklichkeit auf, in ihr haben sie ihr Leben und ihr Gesetz, in ihr sowohl ihre Einheit wie auch ihren Unterschied.

2.4 Trinitätsdenken: Begegnung mit der Urbegegnung

Bonaventuras Sprechen von Gott dem Einen und Dreifaltigen leistet die Synthese zwischen Seinsdenken und Offenbarungsdenken und ihre gegenseitige Interpretation. Die Spitze seines Gedankens, an welcher er alles aus dem dreifaltigen Geheimnis Gottes her und auf dieses Geheimnis zu deutet, erwächst ihm indessen aus dem geschehenden „Anfang" seines Denkens: aus der Initialsituation der Nachfolge, der Begegnung eigenen Suchens mit dem vorgängigen Rufen Gottes. Die Ermahnung, beim entscheidenden Schritt nicht den Lehrer, sondern den Bräutigam, nicht die Wissenschaft, sondern die Gnade zu fragen[147], gilt nicht nur für das vollendende Ende menschlicher Bemühung um Gott, das durch den Tod eigenen Wollens und Denkens hindurch als Friede Gottes von Gott her gefunden wird; in den mannigfachen Anrufungen und Appellen der bonaventuranischen Einleitungen kommt dasselbe bereits zum Durchbruch: die Ursprungssituation sich reflektierender Nachfolge ist die liebende Begegnung des Menschen mit Gott, und sie zeigt die Struktur der „Vermählung"[148].

Solches Denken, das seinen eigenen Ursprung dem Ruf und der Gnade verdankt und im Verdanken sich gerade zur eigenen Ursprünglichkeit erweckt weiß, findet am Ende, was es als seinen Anfang erfährt. Das Was der Reflexion und das Wie der Nachfolge entsprechen sich: in beiden geht es um Mehrursprünglichkeit aus Einursprünglichkeit, um innere Stringenz, die sich lichtet, aber gerade als höchste Freiheit lichtet, um reines Sich-Schenken, dessen Freiheit sich gerade als Vollzug einer höheren und darum selbst freien Notwendigkeit versteht. In der Begegnung der Nachfolge reflektiert sich als ihr letztes und eigentlichstes Worumwillen und Woher eine andere Begegnung, die erste Begegnung überhaupt: jene zwischen Vater und Sohn im Heiligen Geist. Wenn Nachfolge sich reflektiert und reflektierend dreifaltiges Selbstgeschehen im Seins- und Denkgeschehen spiegelt, so ist dies nicht Wegrücken aus der Nachfolge, aus ihrer Begegnungssituation, sondern gerade liebendes Verweilen in ihr.

Doch auch für Bonaventura ist Trinität in sich nicht nur Endstation und nicht nur das Urgeheimnis, das sich in allen anderen Geheimnissen und Offenbarkeiten wiederholt und ihnen sein Siegel aufdrückt; Trinität als Trinität will sich teilgeben, indem sie uns in ihr Leben einbezieht[149]. Die Selbstmitteilung der Trinität, ihr Geschehen im Geschehen der Nachfolge, der Übersprung ihrer Struktur in die Struktur der glaubend nachfolgenden Existenz wiederum hat ihren Endpunkt nicht allein im je Einzelnen. Die „Seele", der unvertretbar Einzelne, der ich bin, spielt zwar bei Bonaventura eine entscheidende Rolle; doch darüber hinaus – man möchte sagen: noch „größer", noch „trinitarischer" – wird das Geheimnis der sich trinitarisch verströmenden Liebe offenbar in der Kirche und endgültig im himmlischen Jerusalem, in der Gemeinschaft der Heiligen. Erst von solcher trinitarischen Communio her erhält Bonaventuras ekklesiologische Grundbestimmung, nach der Kirche Sich-gegenseitig-Lieben heißt, ihre Tiefe.

VI.
Nachgang: Bonaventuras Weg und unser Weg

1. Bonaventuras Denken als Weg

1.1 Weggestalt bonaventuranischen Denkens

Das Denken Bonaventuras bleibt uns fremd, wenn wir es als kunstvolles Gebäude, es kommt uns nah, wenn wir es als Weg betrachten. Von der auf diesem Weg erreichten Spitze aus klärt sich zweierlei: einmal die Führung des Weges, man könnte sagen der Wegbau, die Weggestalt, zum anderen die Wegzeit, die Gegenwart, Herkunft und Zukunft solchen Denkens.

Die Weggestalt: Bonaventuras erster Gedanke ist nicht ein Gedachtes, von dem er sich als Denker oder uns als Mitdenkende subtrahiert – und folglich können auch wir, wenn wir ihn verstehen wollen, uns nicht von seinem Gedanken subtrahieren und ihn bloß „objektiv" betrachten. Angeblicktsein von Gott, hinorientiertsein auf ihn, ihn anrufen, von ihm erleuchtet werden und seinem Licht folgen, das sind nicht äußere Bedingungen, in die wie in einen Rahmen das davon ablösbare Gemälde gespannt werden könnte; dieser „Rahmen" ist Konstitution des Bildes. Die Anfangssituation hält sich durch, bleibt Situation jeden Schrittes bis hin zum Ziel: auch zuletzt geht es wieder um Begegnung, um gegenseitiges Innesein – ja noch mehr: die Sache selbst, welche der Gedanke entfaltet, *ist* Beziehung, will im Denken gerade *als* Beziehung aufgehen. Die Transparenz aller Inhalte aufs trinitarische Geschehen ist der thematische Konvergenzpunkt im vielschichtigen Werk Bonaventuras. Die wirkliche, beziehentliche Ausgangssituation, die leitende Intention und die einheitsstiftende Intuition hängen bei Bonaventura unmittelbar zusammen, ja sind identisch.

Somit aber ist gerade die Mehrseitigkeit des Ansatzes, die vielfach sich verschlingende Gegenbewegung im Denken Bonaventuras zugleich Denken von Einheit, Aufgang von Einheit. Die eine Sache Bonaventuras ist Gott. Alles trägt sich für ihn ein auf den Weg Gottes und zu Gott, entspringt dem Weg und mündet in den Weg und bildet den Weg ab, der ihm Gott selbst ist: der Dreifaltige, in dem die Bewegung vom Vater ausgeht und durch die Mitte des Sohnes sich zurückwendet und zugleich verschenkt im Heiligen Geist.

Einheit aus dem Ursprung, die ihrerseits Mehrursprünglichkeit nicht nivelliert, sondern stiftet, in ihr sich darstellt und erfüllt – das führt zu der eigentümlichen Integrationsbewegung, die Bonaventuras Denken in den unterschiedlichsten Hinsichten gelingt. Ob wir das Verhältnis Philosophie – Theologie, Freiheit – Gnade, Logik der Produktivität – Logik der Liebe, Seinsdenken – trinitarisches Denken anvisieren, überall zeichnet sich dieselbe Figur: vom unteren Moment führt zum oberen eine Linie des Aufstiegs, bei dem der je nächste Schritt den Sinn, die Intention und die „Potenz" dessen einholt, aber zugleich überbietet, was in der Stufe darunter angelegt ist. Diese Logik des Aufstiegs ist kontinuierlich, aber sie ist es nicht aus sich selbst, sondern aus dem Sprung, zu dem die Kraft aus dem oberen Moment erwächst. So verweist der Aufstieg auf einen eröffnenden und vollendenden Abstieg, der das Ganze trägt. Es ist der Abstieg der Liebe, deren Konsequenz und Stringenz, deren innere Mächtigkeit das Sich-Lassen, die unselbstverständliche Äußerung und Entäußerung, eben die Freiheit abzusteigen ist. Das Ganze wird so vom Oben integriert aus dem Sprung sich gebender Liebe. Dieser Sprung hat seine eigene Logik; die Überraschung, das unerrechenbare Geschenk sind seine Gangart. Das Licht der Liebe deckt aber nicht nur ihre eigene Logik auf, sondern auch die Logik des Aufstiegs: der untere Pol wird erst voll verständlich und wird erst integriert, indem er sich aufheben läßt und in der Kraft solcher Aufhebung selber aufhebt zum oberen hin. Die Logik der Liebe zerstört nicht die Logik des Seins, sondern verwandelt sie in ihr Eigenes.

Dann aber heißt das „Prinzip", das den ganzen Wegbau bonaventuranischen Denkens bestimmt, Liebe; und wie diese Liebe in sich selbst, in ihrer Konstitution den zugleich absolut notwendigen und absolut freien Weg vom Vater durch den Sohn zum Geist durchläuft, so durchläuft sie in ihrer entäußernden Äußerung, in ihrer Offenbarung und Mitteilung den anderen Weg vom dreifaltigen Ursprung über die Menschwerdung durch den Wendepunkt des Kreuzes hin zur vollendeten Communio Gottes mit der erlösten Menschheit.

Fragen wir zusammenfassend nach der Gestalt des Weges, der sich so in allen seinen Phasen als Weg der Liebe zeigt, dann könnte die Formel heißen: Koinzidenz von Proportion und Steigerung, von Integrationskraft und Sprengkraft. Bis in den Sprachstil hinein zeigt sich solche Spannung. Das Bleibende, das Unzerstörbare, das je neu Aufleuchtende ist Verhältnis, ist Gleichklang, ist Entsprechung. Und doch ist solche Proportion nicht beruhigtes Schwingen in sich selbst, nicht geschlossener Kreis, sondern bewegte Spirale. Proportion und Übermaß, Rationalität und Ekstase, konsequenter Weg und überraschender Sprung, Rückkehr zu sich selbst und Komparativ über sich hinaus sind dasselbe, da je beide Gestalt der einen Liebe sind. So resultiert die Notwendigkeit, den Weg der Liebe bis zum Äußersten nachzudenken, aus einem Ziel, das durch Denken gerade nicht mehr erreicht werden kann, sondern nur durch das Verschenken, durch das Sterben allen Denkens; und dieses Ziel ist die Alleinigkeit der Liebe, die das Denken und den Menschen in sich aufnimmt – und darin eben in die Gemeinschaft mit dem dreifaltigen Gott. Ziel des Weges ist der Sabbat; die Todesruhe des siebten Tages ist die Folie der Auferstehung – im Weg Christi, im Weg des Denkens, im Weg des menschlichen Lebens, im Weg der Schöpfung.

1.2 Wegzeit bonaventuranischen Denkens

Weggestalt und Wegzeit lassen sich bei Bonaventura nicht auseinanderreißen. Die Weggestalt ist selbst zeitlich. Schon der Ansatz des theologischen Denkens als eines „wirklichen", beziehentlichen zeigt die Dimensionen der Herkunft aus Gottes zuvorkommendem Handeln, der Ankunft seines Rufes im Einsprung der

Nachfolge, der Zukunft des vollendeten Friedens, auf welche der Weg solcher Nachfolge von Anfang an hinläuft. Und diese Ansatzsituation ist keine bloße Episode, welcher der weitere Weg entlaufen könnte; sie bleibt die Situation eines jeden Schritts. Ja, man kann in einem fundamentalen Sinn sagen: Die Sache der Theologie selbst ist zeitlich; denn sowohl trinitarisches Selbstgeschehen wie inkarnatorischer Ausgang und soteriologischer Rückgang Gottes und menschlicher Mitgang mit Gott sind geprägt von Herkunft, Ankunft und Zukunft.

Doch solche Zeitlichkeit ist nicht nur eine innere Verfassung der einzelnen theologischen Themen und ist auch nicht nur ein Existential des theologischen Denkens und des theologisch Denkenden. Bonaventura selbst „objektiviert" die Zeithaftigkeit der Theologie, wenn er diese in der Reductio auf den dreifachen Schriftsinn bezieht: den allegorischen, der alles einzelne auf die Grundbotschaft hin durchsichtig macht, den moralischen, der in allem die Nachfolgesituation aufdeckt, den anagogischen, der überall die eschatologische bzw. mystische Perspektive aufreißt. Das trinitarische Geschehen und das inkarnatorische Handeln Gottes werden zur Herkunft, die Zeit der Kirche als Zeit der Antwort auf Gottes Ruf zur Gegenwart, die Einung des Menschen mit Gott und die Vollendung der Geschichte im Frieden des himmlischen Jerusalem zur Zukunft, die den Ort aller Theologie und jeder einzelnen theologischen Aussage umreißen. Theologie ist nicht nur zeithaft, sie ist geschichtlich bestimmt. Existentiale Zeitlichkeit und heilsgeschichtliche Position stehen aber nicht nebeneinander, sondern ineinander; in der Wegzeit eines jeden Schrittes, den theologisches Denken setzt, wird die heilsgeschichtliche Wegzeit präsent und maßgeblich. Es gibt in der Schrift und in der Theologie nicht Partien, die von der Herkunft, andere, die von der Gegenwart, und nochmals andere, die von der Zukunft handeln; trotz verschiedener Schwerpunkte des Sprechens ist das ganze Geschichts- und Zeitgefüge an jedem Punkt gegenwärtig.

Unmittelbar an ihm selbst angeschaut: In allen seinen Dimensionen ist Bonaventuras Denken ur-kundlich. Das Denken selbst wird auf die es eröffnende und tragende Ur-kunde des Seins, das im Denken aufgespürte Sein auf die darin mitgeteilte Urkunde des Seins-selbst, der reinen Wirklichkeit, also: Gottes hin gelesen. Die Welt und alles, was ist, geben Kunde vom Logos als der Urkunde, dem Urbild, in dem ihre Möglichkeit und Wirklichkeit vorumfaßt und als Mitteilung göttlichen Sich-Gebens ausgelegt sind. Die Worte der Schrift, die Inhalte der theologischen Überlieferung wiederum werden als die Urkunde vom dreifaltigen Gott und von seinem sich öffnenden Über-sich-hinaus in Jesus Christus gelesen – alles wird zur Botschaft von der Liebe, die Gott ist und die Gott schenkt. Man könnte dies als die theologische Version und Weiterbildung der franziskanischen Maxime verstehen, das Evangelium „sine glossa", ohne Beiwerk und Nachtrag, in seinem reinen Urtext leben zu wollen[150] – Urtext schließt für Bonaventura so aber gerade Übersetzung nicht aus, sondern ein, wie Liebe eben ihr Ankommen beim Anderen, ihr Sichgeben einschließt.

Ebenso allgegenwärtig wie dieser „allegorische" Schriftsinn ist bei Bonaventura auch der „moralische", allerdings in einem mehr als bloß moralischen Sinn: die Urkunde des Evangeliums ist Ruf, und alles, was ist, alles, was dem Denken sich zeigt, ruft diesen Ruf mit. Er ruft in die Entsprechung, in die Nachfolge, ins verantwortliche Maßnehmen. So appelliert Bonaventura immer wieder an die Reinheit des Herzens, an die Offenheit des Hörenden, an die Bereitschaft, Konsequenzen zu ziehen.

Schließlich sind Urkunde und Entsprechung und ist durch sie der Hörende, Mitdenkende und Mitgehende je „anagogisch" orientiert aufs Wohin. Am Ende steht nicht das fixe Ergebnis, sondern Begegnung zwischen Braut und Bräutigam, nicht das Bescheidwissen, sondern der Friede, nicht das Erreichthaben, sondern das Aufgenommenwerden in die Communio des dreifaltigen Gottes.

Das Urkundliche gibt dem Sprechen Bonaventuras seine Transparenz aufs Eine hin, das Werben um die Entsprechung seinen Ernst, der Vorblick auf die Vollendung seinen Schwung.

Bonaventuras zeithaftes und geschichtliches Denken zeigt eine Alternative an zu einem bloß historisierenden oder bloß dogmatischen, zu einem bloß „anwendenden" oder „praxisbezogenen", zu einem bloß erbaulich-spirituellen oder schwärmerisch-utopischen Stil von Theologie.

2. Weg für heute?

2.1 Nochmals: Was heißt Nachfolge?

Der Weg der Theologie gilt uns als Weg reflektierter Nachfolge. Was für diesen Weg heute Bonaventura bedeutet, muß sich aus dem entscheiden, was reflektierte Nachfolge heute bedeutet. Dann aber müssen wir uns nochmals mit dem Begriff, mit dem Verständnis von Nachfolge beschäftigen.

Nachfolge – so sahen wir – ist den Urtext wahrende, ja konstituierende Übersetzung des Evangeliums in Leben und darin zugleich Übersetzung von Welt und Existenz ins gelebte Evangelium. Gibt es indessen nicht noch andere Weisen, wie ein Vorgängiges, Maßgebliches in eigenes Dasein und eigenes Denken übersetzt wird und wie zugleich die Wirklichkeit des Menschen und der Welt bewährt wird an diesem Übernommenen und Überkommenen, am Erbe etwa einer Idee, einer Kultur, einer vorgeprägten Lebensform? Oder noch weiter gefaßt: Prägen die formalen Momente von Nachfolge, die wir eingangs ermittelt haben, nicht viele, gar alle Gestalten von Kommunikation? Bedeutet nicht Kommunikation Übersetzung eines anderen Wortes ins Eigene und eines Eigenen ins Wort, das nicht nur mein Wort, sondern Wort eines Sprachhorizontes, vorgeprägtes, vorgegebenes Wort ist? Es drängt sich also die Frage nach der spezifischen Differenz von Nachfolge auf.

Nachfolge, so zeigt sich zunächst, findet sich einem Anspruch gegenüber. Nicht irgendeine Idee, nicht irgendein Angebot, nicht irgendeine Möglichkeit, die neutral zu überprüfen wären, sondern ein Ruf, der Situation stiftet, ein Ruf, demgegenüber es so oder so nur die Reaktion der Entscheidung gibt, steht am Anfang. Darin ist aber ein zweites schon mitgesagt: Nachfolge ist – da erwachsen aus einem sich selbst verbindlich verstehenden Ruf – zugleich je meine Sache, Sache der Freiheit, Sache des entschiedenen Selbstverhältnisses und Sich-selbst-Vollbringens.

Solche Steigerung des Angebotes zum verbindlichen Anruf und der Reaktion zum verantwortlichen Entscheid bringt uns dem Eigentümlichen von Nachfolge näher, aber holt es noch nicht ein. Sowohl der Rang des Rufes wie der Rang der Freiheit scheinen aufs erste nämlich gerade im Fall der Nachfolge nochmals herabgestimmt, reduziert zu werden: Nachfolge heißt ja gerade nicht, selbsttätige Konsequenzen aus einem Vorgegebenen zu ziehen, sondern einfach: nachlaufen, wiederholen. Ist das nicht Unterbietung von Freiheit? Und umgekehrt: Der Ursprung, der zur Nachfolge ruft, der Ursprung, der geschichtlich nur durch Nachfolge repräsentiert wird, erscheint in der Geschichte nicht mehr als Original, sondern nur noch in der Reproduktion.

Doch die Begriffe „Wiederholung" und „Reproduktion" bedürfen einer Korrektur, unvermittelt greifen sie das Eigentümliche der Nachfolge Jesu nicht. Die Wiederholung Jesu ist nämlich kein „Ersatz" Jesu. Einem großen Lehrer, einem großen Initiator darf es nur darum gehen, daß nicht er, sondern seine Idee, seine Sache weitergeht; das Gedenken an ihn, an sein Leben und seine Gestalt wird in dem Maße zum Zusatz, zur Äußerlichkeit, als die Sache, die Idee ihre eigene Schwungkraft in jenen entfaltet, die sie fortentwickeln, ins Werk setzen. Im Fall der Nachfolge aber ist dies anders. Gerade weil es Nachfolge Jesu gibt, gibt es keine Nachfolger Jesu. Jesus ist nicht Veranlasser, sondern selbst Ursprung; der Ursprung, die Quelle aber gehen nicht in dem allein auf, was ihnen entspringt.

Noch in anderer Richtung setzt sich der Überschuß des Ursprungs in der Nachfolge durch: Die nachfolgende Wiederholung ist gerade nicht ihr eigenes Ziel und erreicht auch nicht aus sich selbst ihr eigenes Ziel. Nachfolge Jesu ist Unterwegs-Bleiben daraufhin, daß jener wiederkommt, der vorangegangen ist, Nachfolge ist Zulauf auf den, der vorangegangen ist, weil *er* Vollender und Vollendung ist. So kann Nachfolge weder das Evangelium noch den Herrn, weder das verheißene Reich noch die Erfüllung und

Seligkeit derer, die nachfolgen, und der Welt, für die ihre Nachfolge da ist, aufarbeiten. Der das erste Wort hat, hat auch das letzte Wort, und unsere Antizipation bleibt bloße Antizipation.

Wie kann aber dann die Nachfolge, angewiesen nicht nur auf das erste, sondern auch auf das letzte Wort eines anderen, wie kann sie, in der Ohnmacht, Ursprung und Ziel in sich einzuholen, dennoch Steigerung der Freiheit jener sein, die nachfolgen? Die Antwort erscheint paradox: Einerseits verheißt der johanneische Christus denen, die ihm glauben, die Werke, die *er* tut, selber, ja noch größere Werke zu tun; dann aber schreibt er diese größeren Werke sich selber zu: *er* wird sie auf ihre Bitte hin vollbringen (vgl. Jo 14,12.13). Doch gerade hier liegt die Antwort: Bitte ist nicht nur Vollzug eigener Ohnmacht und Unfreiheit, aus sich das Erbetene zu tun; Bitte ist Vollzug von Kommunikation. Ursprung und Ziel der Nachfolge, die Einholung dessen, der ihr Ursprung und ihr Ziel ist, bleiben ihr unverfügbar, entzogen, aber die Entzogenheit selbst ist nur die Kehrseite seines Daseins, damit aber Ausdruck dafür, daß Nachfolge Situation lebendiger Kommunikation bleibt. Einmal mehr wird deutlich, wie tief das österliche Geschehen, die Öffnung bleibender, ja dichterer Begegnung im Entzug, für die Nachfolge konstitutiv ist. Kommunikation ist Gewähr und Steigerung der Freiheit ihrer Partner; das Entscheidende an Kommunikation liegt gerade darin, daß keiner der Partner durch den anderen ablösbar ist und daß beiden das Ganze des Kommunikationsgeschehens gehört. *Die* Kommunikation, welche in der Nachfolge geschieht, genauer: in welcher die Nachfolge sich nach dem Hingang Jesu zum Vater und darin zugleich zu uns findet, ist freilich unvergleichliche, einzigartige Kommunikation. Mit dem entzogenen Herrn kommunizierend kommunizieren wir mit dem uns entzogenen *Grund* unserer Freiheit, und das ist höchste Angewiesenheit und höchste Freiheit zugleich.

Letztes, hier noch einzuführendes Moment: Worin bestehen die „größeren Werke", die uns, wenn wir nachfolgen, in die Hand gelegt sind? Worin zeigt sich die Steigerung unserer eigenen Freiheit? Einmal eben in ihrer neuen Situation: Sie steht in Kommunikation mit ihrem Woher und Wohin, mit ihrem aus sich allein ihr entzogenen Grund und Ziel; sie holt sich zu den vollen Maßen von Freiheit ein, ohne doch unsere Position der Geschöpflichkeit, der Endlichkeit zu nivellieren, ohne unser Gegenübersein zu Gott und Christus in eine monistische Identifikation hinein aufzulösen. Zum anderen aber dürfen wir, über unser eigenes Heil und unsere eigene Freiheit hinaus, die Horizonte des Fragens und Verstehens, die sich im Lauf der Geschichte verwandeln und neu erbilden, mit einbringen in die Begegnung mit dem Evangelium, und so wird das Evangelium im Vollzug unserer Nachfolge zum Evangelium für alle Welt und für alle Zeit. Damit aber ist unsere ursprüngliche Bestimmung von Nachfolge als integrative Übersetzung des Evangeliums zu sich und als integrative Übersetzung von Welt und Mensch ins Evangelium eingeholt und gesteigert.

Der Herr, den die Nachfolge, seinem Ruf folgend, „übersetzt" und auf den hin sie Welt und Menschsein übersetzt, ist als Ursprung und Ziel ihr entzogen – doch diese Entzogenheit *ist* seine Gegenwart, ist Verwandlung des Nachfolgegeschehens in gegenwärtige Kommunikation. In der Kommunikation ist mein Partner eben nur dadurch als er selbst, als Ursprung von sich her da, daß er meinem Reproduzieren und Verfügen gegenüber entzogen bleibt. Die „Ohnmacht" der Nachfolge wird so ihre „Vollmacht": Sie ist Kommunion mit dem lebendigen Herrn; Kommunion darin – und das hebt sie über alle andere Kommunikation hinaus – mit dem Ursprung und Ziel der eigenen Freiheit des Nachfolgenden und – nochmalige Steigerung – Präsenz, Angebot, „Stellvertretung" dessen, der Grund und Ziel allen Menschseins und der ganzen Welt ist, für die Welt, für die Geschichte.

2.2 Rückwirkungen auf die Theologie

Das solchermaßen präzisierte Verständnis von Nachfolge hat seine Rückwirkung für die Theologie. Der Standort der Reflexion, die Nachfolge zu reflektierter Nachfolge werden läßt, muß – wie wir sahen – die Nachfolge bleiben. Was „weiß" solche Nachfolge, und was gibt sie ihrer Reflexion, der Theologie, zu wissen und reflektierend zu vermitteln? Nachfolge weiß, daß es allein auf den

Herrn und daß es zugleich auf je mich, auf mein wirkliches Nachfolgen ankommt, in das ich mich selbst und meine Welt einbringe.
Darin weiß Nachfolge aber auch, daß jetzige Nachfolge sich nicht
selber trägt, sondern daß sie dem Herrn nachfolgt, dessen Ge-
kommensein, dessen Bezeugung, dessen „Tradition" nicht durch
den nachfolgenden Vollzug ersetzt oder abgelöst werden können – indem Nachfolge die Botschaft sagt, macht sie es nicht überflüssig, solches Sagen je im Hören auf die Botschaft zu begründen.
Nachfolge weiß des weiteren, daß nicht sie zum Herrn kommt,
sondern daß er kommen wird und daß keine noch so perfekte
Operationalisierung des Evangeliums, keine noch so tatkräftige
und phantasievolle Weltgestaltung aus dem Glauben sein vollen-
dendes Kommen überflüssig macht. Schließlich weiß Nachfolge,
daß auch ihr Jetzt nicht nur Veranstaltung eigenen Könnens ist,
sondern Begegnung mit dem gegenwärtigen, jetzt lebenden
Herrn.

Bonaventuras dreifacher Schriftsinn und seine Verknüpfung
mit dem menschlichen Wissen werden hier aktuell. Theologie ist
Empfangen und Wahren einer Herkunft, die sie nicht vermag;
Theologie ist Weg der Entsprechung zu einem Partner, den sie
wiederum nicht durch ihr eigenes Reproduzieren und Konstru-
ieren herstellen kann; Theologie ist Hinsein auf ein Ziel, das nicht
sie erreichen, dem sie nur hoffend und verlangend Weg bereiten
kann. Gerade solche Rezeptivität und Verwiesenheit von Theologie ist aber auch ihre Spontaneität und „Autonomie". Wenn sie
„Christus gehört", gehört „ihr alles" (vgl. 1 Kor 3, 23), will sagen:
ist ihr Verstehen entbunden, je neu das Unverfügbare zu lichten
und zu entwerfen *als* unverfügbar und doch *als* Antwort auf die
Fragen, Anlagen, Möglichkeiten und Unmöglichkeiten aller geschichtlichen Situationen und Stationen des Menschen und der
Welt.

Bonaventuras Weg hilft uns so, unseren eigenen Weg zu finden.
Das meint nicht Übernahme der Instrumentarien und Kontexte
seines theologischen Denkens oder seiner inhaltlichen Einzelpositionen. Wohl aber meint es Kommunikation mit der Wegzeit und
der Weggestalt seines Denkens. Der dreifache Schriftsinn Bona-

venturas kann uns heute zum Stichwort werden, um die Unverfügbarkeit der Botschaft, die Aufgegebenheit der Übersetzung in der
Nachfolge, die Perspektivität des Glaubens auf die vollendende
Zukunft Gottes hin als Konstituentien eines unverkürzten theologischen Denkens neu ernst zu nehmen. Eine solche Theologie, die
Historik, Hermeneutik und Praktik einbezieht und doch aus den
Absolutsetzungen der einzelnen Pole hinausführt, bedarf freilich
auch eines Denkstils, der sich mit der Dynamik bonaventuranischen Denkens, mit den konstitutiven Spannungen, aus welchen
seine Gestalt gefügt ist, berühren wird. Strukturales Denken, das
Mehrursprünglichkeit und Einheit, Rationalität aus dem Überschuß der Rationalität und auf diesen Überschuß zu wahrt, sind
aktuelle und in ihrer Synthese befreiende Postulate.

2.3 Ortsbestimmung für heute

Der Ort, von dem aus sich Nachfolge reflektieren läßt, der Ort
der Theologie bleibt die Nachfolge. Nur *in ihr* wird offenbar, daß
der Überschuß des Herrn und seines Evangeliums, daß die Unverfügbarkeit der Herkunft, Gegenwart und Zukunft von Theologie
nicht Begrenzung und Einengung bedeuten, sondern Entbindung
in die eigene Freiheit. Und nur *in* der Nachfolge wächst auch der
Mut, das alte Erbe neu zu sagen, neu das Evangelium *und* Welt
und Menschen einander zuzutrauen. Vor allem aber: nur in
der Nachfolge sprechen sich der Herr und sein Evangelium so
zu, daß sie gegenwärtiges Leben, treffender Anspruch und tref-
fende Verheißung werden; nur in der Nachfolge sprechen sich die
Worte und Fragen der Zeit und des Denkens so zu, daß sie *das*
Wort und *die* Botschaft unverkürzt und neu zugleich zu sagen vermögen.

Aus der Struktur gelebter Nachfolge haben sich – gerade im
Kontext eines Franz von Assisi – Lebens-Worte erbildet, die ganz
das Eigene und mehr als das Eigene, die eigene Erfahrung und
den für sie konstitutiven Überschuß des wirkenden, fordernden,
verheißenden Herrn aussagten. Der Nächste – das Kreuz – der
Friede – die Armut: was das heißt, was das heißt *im* eigenen Leben

und mehr als nur im eigenen, was das heißt als Kommunikation mit dem Herrn, das erfahren wir bei Franz. Daraus lebt und denkt Bonaventura. Aber: hat Paulus, hat das vierte Evangelium, hat die junge Gemeinde, in der das Christus-Bekenntnis Gestalt gewann, aus anderem gedacht und gesprochen? Und wie soll es möglich sein, heute anders von Gott zu sprechen? Bloße Auslegung unserer Sinn-Verwiesenheit und Sinn-Erfahrung bliebe im Vorfeld des Evangeliums, bloße definierende und explizierende Auslegung des Tradierten käme kaum ins Vorfeld gegenwärtigen Fragens und Verstehens, bloße Addierung des beiden bliebe dürres Konstrukt.

Dann aber heißt die Aufgabe für Theologie und Verkündigung – die Aufgabe nicht zuletzt für den, der seinen eigenen Glauben in seiner Glaubwürdigkeit neu zu gewinnen und zu vertiefen sucht: Sieh dich um, wo Nachfolge gelebt wird; *ganze* Nachfolge freilich, die sich nicht abschneidet von der unverfügbaren Herkunft des Evangeliums und seiner Tradition in der noch so armseligen Kirche, die ein Franz und Bonaventura durch die Naivität ihrer Treue mehr ,,kritisierten", als jede distanzierte Reflexion es könnte, *ganze* Nachfolge, die nicht Gottes Zukunft durch den Rausch eigener Gegenwart oder eigenen Planens ersetzt; *ganze* Nachfolge, die nichts wegschneidet von jetzigem Gehorsam gegen Gottes Wort. In solcher Nachfolge, die ihre Spuren da und dort in der Kirche aufleuchten läßt, findet sich das Lebens-Wort für heute, das auch uns und unseren Zeitgenossen die Antwort des Petrus in den Mund legt: ,,Herr, zu wem sonst sollen wir gehen? Du allein hast Worte ewigen Lebens" (Jo 6, 68). Darauf, auf solch gegenwärtiges Suchen und Nachfolgen, wollte unser Gespräch mit Bonaventura uns hinstoßen.

Quellen

Bonaventura, Opera omnia, 10 volumina, Quaracchi, 1882–1902.

Zugängliche deutsche Ausgaben:

Bonaventura, Breviloquium, übers. von F. Imle (Werl 1931).
Hexaemeron, übers. u. eingel. von W. Nyssen (München 1964).
Itinerarium mentis in Deum; De reductione artium ad Theologiam, eingel.
u. übers. von I. Kaup (München 1961).
Soliloquium, hrsg. u. übers. von J. Hosse (München 1958).

Anmerkungen

[1] Vgl. Summa theologica I, 84, 7; vgl. in III de anima 12, 772; De anima 15 corp.; I. Sent. 3, 4, 3 corp.; S. th. I, 85, 1 ad, 3 u. ö.

[2] Vgl. Summa contra Gentiles I, 15 und II, 42 und 45.

[3] Vgl. S. th. I, 2, 3.

[4] Gratia supponit naturam et perficit et elevat eam vgl. II. Sent. 9, 9 ad 2; S. th. I, 1, 8 ad 2, ebd. I, 2, 2 ad 1 u. ö.

[5] Man denke an seine Auseinandersetzung mit den Aristotelikern der Pariser Artistenfakultät (opusculum de unitate intellectus contra Averroistas).

[6] Vgl. bes. die Pseudodionysiuskommentare und den Kommentar zum Liber de causis; ferner die Übernahme und Weiterbildung der platonischen Lehre von der participatio.

[7] Nachfolge hat hier und im folgenden zwar die engste Anwendung dieses Begriffs auf die Jesus begleitenden Jünger im Blick, doch werden die Linien bewußt weiter ausgezogen zu gläubiger Existenz überhaupt als Nachfolge.

[8] Vgl. Itinerarium, Prolog 1.

[9] Vgl. M. Wiegels, Logik der Spontaneität. Zum Gedanken der Schöpfung bei Bonaventura (Freiburg i. Br./München 1969).

[10] Itinerarium, Prolog 4.

11 Quibus debet loqui?, Hexaemeron I, 1.

12 Ebd. I, 2.

13 Ebd.

14 Vgl. ebd.

15 Vgl. Hexaemeron I, 6–9, wo der Blick nicht zuletzt auf falsche zeitgenössische Ansätze von Philosophie und Theologie gerichtet wird.

16 Hexaemeron I, 2.

17 Zum folgenden vgl. Hexaemeron I, 3–5.

18 Vgl. Hexaemeron I, 3.

19 Vgl. Hexaemeron I, 4.

20 „Ecclesia enim mutuo se diligens est", Hexaemeron I, 4.

21 Hexaemeron I, 5.

22 Itinerarium, Prolog 1; auf diese Ziffer beziehen sich auch die folgenden Zitate und Referate, soweit nicht anders vermerkt.

23 Itinerarium I, 1.

24 Zum Beispiel De reductione, Collationes de septem donis Spiritus Sancti, Soliloquium.

25 Soliloquium und Breviloquium.

26 Vgl. Itinerarium I, 6 und 7; Soliloquium I, 3–9. 10–28.

27 Soliloquium I, 2.

28 Vgl. Hexaemeron II bes. 8 und 28–34.

29 Itinerarium VII, 6.

30 Hexaemeron V, 33.

31 Breviloquium I, 1.

32 Vgl. Gilson, Zwölftes Kapitel: Die Verstandeserleuchtung, bes. 426–430.

33 I. Sent. 1, 3, 1 Conclusio ad 2.

34 Vgl. Hexaemeron V, 33.

35 Vgl. Hexaemeron XI.

36 Vgl. Hexaemeron I, 1; vgl. die weitere Ausführung zum selben in Hexaemeron I, 10.

37 Vgl. Hexaemeron I, 10–39.

38 Hexaemeron XI, 13–25.

39 Hexaemeron I, 12–17.

40 Hexaemeron I, 12: Esse ex se est in ratione originantis; esse secundum se in ratione exemplantis, et esse propter se in ratione finientis vel terminantis; id est in ratione principii, medii et finis seu termini. Pater in ratione originantis principii; Filius in ratione exemplantis medii; Spiritus sanctus in ratione terminantis complementi.

41 Hexaemeron I, 13: Pater enim ab aeterno genuit Filium similem sibi et dixit se et similitudinem suam similem sibi et cum hoc totum posse suum; dixit quae posset facere, et maxime quae voluit facere, et omnia in eo expressit, scilicet in Filio seu in isto medio tanquam in sua arte.

42 Zum folgenden De reductione 8.

182

[43] Ebd.

[44] Vgl. dazu die eher noch schärfere Fassung der doppelten Ursprünglichkeit bei Meister Eckart in seiner Predigt: Intravit Jesus in quoddam castellum, in: Meister Eckharts Predigten, hrsg. u. übers. von Josef Quint, 1. Bd.: Predigt 2 (Stuttgart 1958) 24–45.

[45] De reductione 12.

[46] Vgl. De reductione 23.

[47] Hexaemeron XI, 5.

[48] Hexaemeron I, 25–30.

[49] Hexaemeron I, 25.

[50] Hexaemeron I, 27.

[51] Ebd.

[52] Ebd., vgl. Augustinus, De civitate Dei 9, 15.

[53] Hexaemeron I, 29.

[54] Hexaemeron I, 25.

[55] Hexaemeron I, 26.

[56] Hexaemeron I, 30.

[57] Ebd.

[58] Ebd.

[59] Vgl. hierzu Hexaemeron I, 21–24.

[60] Hexaemeron I, 23.

[61] Vgl. Hexaemeron I, 24; s. ebd.: „Doch ein Dunkel ist eingebrochen; denn die Christen verlassen diesen Ort der Mitte, an dem Christus den Menschen gerettet hat. Daher streitet der Mensch gegen sein eigenes Heil, wenn er sich nicht zu messen weiß."

[62] Vgl. Itinerarium, Prolog 3 f; Soliloquium I, 34 Lignum vitae, Prolog 1.

[63] Vgl. z. B. Kol 1, 24; Lignum vitae im ganzen, Soliloquium I, 34.

[64] Vgl. zu diesem Abschnitt Itinerarium VII, 6.

[65] Vgl. Hexaemeron I, 24; I, 27 f.

[66] Hexaemeron I, 10.

[67] Hexaemeron II, 21.

[68] Ebd.

[69] Vgl. Itinerarium I, 7.

[70] Vgl. ebd.

[71] Hexaemeron II, 20.

[72] Vgl. Hexaemeron XIII, 12.

[73] Vgl. Hexaemeron II, 9 f, 11–27 insgesamt.

[74] Vgl. Hexaemeron II, 21; außerdem vgl. die Gliederung des Itinerarium.

[75] Vgl. hierzu etwa Breviloquium, II, 12.

[76] Vgl. Itinerarium I, 3; Hexaemeron I, 15.

[77] Vgl. Itinerarium I, 10–14.

[78] Itinerarium I, 15.

[79] Zum folgenden vgl. Itinerarium II im ganzen, bes. II, 2, 4–10.

80 Itinerarium II, 6.

81 Ebd.

82 Itinerarium II, 10.

83 Vgl. De reductione I, 8.

84 Itinerarium II, 9.

85 Die eben erhobene Struktur wiederholt sich grundsätzlich auf den folgenden Stufen in Steigerung bis zur Explikation der Trinität aus sich selbst. Verwiesen sei an dieser Stelle allein auf Bonaventuras Auslegung von Gedächtnis, Erkenntnisvermögen und Strebevermögen, in der Erörterung der geistigen Kreatur als des Bildes Gottes – letztlich des dreifaltigen Gottes. Vgl. Itinerarium III. Die Figur, die Bonaventuras Argumentation bei der Beurteilung des Grundes für das Gefallen des Wahrgenommenen einführt, hält sich durch, auch wo sie nur indirekt thematisiert wird: Proportionalität als solche scheint im Verhältnis der drei Grundvermögen zueinander und zumal in der Unzerstörbarkeit des Verhältnisses auf, das alles Urteilen und Maßnehmen trägt.

86 Vgl. Itinerarium, Prolog 5.

87 Vgl. Hexaemeron II, 21, I, 17.

88 Vgl. Itinerarium IV, 3 f.

89 Vgl. Itinerarium II, 3.

90 Thomas von Aquin: „in luce primae veritatis omnia intelligimus et iudicamus inquantum ipsum lumen intellectus nostri … nihil aliud est quam quaedam impressio veritatis primae," S. th. I, 88, 3 ad 1.

91 Vgl. Quinque viae S. th. I, 2, 3 und De ente et essentia 5.

92 Vgl. B. Welte, Die Zahl als göttliche Spur, in: ders., Auf der Spur des Ewigen, Freiburg i. Br. 1965, 49–61.

93 Vgl. außerdem die Skizze einer trinitarischen Wissenschaftslehre in Itinerarium III, 6 f.

94 De reductione 5.

95 Vgl. Itinerarium IV, 5: Gottes- und Nächstenliebe „werden beide angedeutet im einen Bräutigam der Kirche Jesus Christus, der zugleich der Nächste und Gott ist, zugleich Bruder und Herr, zugleich auch König und Freund, zugleich ungeschaffenes und inkarniertes Wort, unser Schöpfer und Neuschöpfer, als Alpha und Omega".

96 Vgl. De reductione 8–25.

97 Vgl. De reductione 1; Ausfaltung in 2–6.

98 Vgl. Hexaemeron I, 10–39.

99 Vgl. hierzu und zum folgenden Hexaemeron I, 11.

100 Vgl. Hexaemeron I, 12–17.

101 Vgl. Hexaemeron I, 18–20.

102 Vgl. Hexaemeron I, 21–24.

103 Vgl. B. Pascal, Pensées Fr. 72 (ed. Brunschvicg).

104 Vgl. Hexaemeron I, 25–30.

[105] Vgl. Hexaemeron I, 31–33.

[106] Vgl. Hexaemeron I, 34–36.

[107] Vgl. Hexaemeron I, 37–38.

[008] Vgl. Hexaemeron II, 29.

[109] Zum bisherigen vgl. Itinerarium V, 1 f.

[110] Hexaemeron X, 11.

[111] Itinerarium V, 4; zum folgenden vgl. ebd.

[112] Ebd.

[113] Itinerarium V, 5.

[114] Itinerarium V, 6; vgl. die noch ausführlicheren Bemerkungen zum selben in Hexaemeron V, 33.

[115] Itinerarium V, 7.

[116] Itinerarium V, 8.

[117] Vgl. Itinerarium V, 4.

[118] Vgl. Itinerarium V, 5.

[119] Vgl. hierzu und zum folgenden Itinerarium V, 6.

[120] Vgl. Itinerarium V, 7.

[121] Ebd.

[122] Hierzu und zum folgenden vgl. Itinerarium V, 8.

[123] Ebd.

[124] Vgl. vor allem die Texte, die É. Gilson in seinem Buch „Philosophie des hl. Bonaventura" unter dem III. Kapitel, Die Evidenz Gottes, S. 137–159, bes. mit den Anmerkungen S. 582–594, zusammenstellt.

[125] I. Sent. 8, 1, 1, 2 Conclusio.

[126] Vgl. I Sent. 3, 1, 1 ad 1.

[127] Hierzu und zum folgenden siehe I. Sent. 1, 3, 1 Conclusio ad 2.

[128] Vgl. z. B. De mysterio Trinitatis I, 1 Concl.; auch I, 1, 6–8 und 10.

[129] Vgl. I. Sent. 3, 1, 1 Conclusio ad 5.

[130] Hexaemeron XI, 5.

[131] Vgl. Hexaemeron XI, 12.

[132] Vgl. Hexaemeron XI, 6–12.

[133] Vgl. Hexaemeron XI, 13–25.

[134] Vollkommenheit: Hexaemeron XI, 6–8; Ursprung: XI, 6; Ordnung: Hexaemeron XI, 7 als Andeutung mit Rückverweis auf die Ausführung in VIII, 12; unteilbare Einheit: Hexaemeron XI, 8.

[135] So nicht nur Hexaemeron XI, 7, sondern auch Hexaemeron I, 12.

[136] Vgl. Hexaemeron VIII, 12.

[137] Vgl. z. B. auch Itinerarium VI, 2.

[138] Hexaemeron XI, 9; klärende Rückfrage Hexaemeron XI, 10.

[139] Zum folgenden Hexaemeron XI, 11; vgl. Itinerarium VI, bes. 2; Breviloquium I, 2.

[140] Vgl. Hexaemeron XI, 12.

[141] Ebd.; Bonaventura bezieht sich hier auf einen Gedanken des Richard von

St. Viktor, vgl. L. Scheffczyk, Lehramtliche Formulierungen und Dogmenge-schichte der Trinität, in: Mysterium Salutis Bd. II, 210–213.

[142] Vgl. Augustinus, De Trinitate VIII, 7–10; IX, 2.

[143] Vgl. Itinerarium VI, 2; Breviloquium 3; I. Sent. 6, 1 und ebd. 6, 2.

[144] Vgl. I. Sent. 2, 2 Conclusio.

[145] Zu diffusio vgl. Hexaemeron XI, 14 und 15, zu expressio vgl. Hexaemeron XI, 16 und 17; zu propagatio vgl. Hexaemeron XI, 18 und 19; zur Synthesis auf Trinität hin vgl. Hexaemeron XI, 20–25.

[146] Vgl. H. Rombach, Strukturontologie. Eine Phänomenologie der Freiheit (Freiburg i. Br. 1971) 40, wo die Herkunft solchen Strukturdenkens aus der trinitarischen Spekulation betont wird.

[147] Vgl. Itinerarium VII, 6.

[148] Vgl. z. B. De reductione 26; Itinerarium VII, 6; Breviloquium V, 6; Hexaemeron XX, 19.

[149] Vgl. Breviloquium I, 2.

[150] Vgl. De perfectione evangelica 2, 1 Conclusio.

Klaus Hemmerle

Unterscheidungen

Gedanken und Entwürfe zur Sache des Christentums heute

Eine geistige Orientierung zur Frage, wie heute das Christliche gelebt und gegenüber einer säkularisierten Gesellschaft glaubwürdig und überzeugend vertreten werden kann. Eine Wegweisung, die zwischen plakativen Verkürzungen, Polarisierungen und einem Ausweichen oder unverbindlichen Geltenlassen differenzierend hindurchführt.

„Klaus Hemmerles Buch ist eine meisterliche und auch praktisch reich erfahrene Einführung in diese heute oft vergessene, aber notwendige Kunst. Seine Orientierungen können helfen, eine tragfähige, zwanglose und so auch offene Einheit des Geistes im Bereich von Kirche und Gesellschaft zu finden." Karl Lehmann

136 Seiten, kart. lam.
ISBN 3-451-16562-7

Verlag Herder Freiburg · Basel · Wien

Die Botschaft von Gott

Orientierungen für die Praxis

Herausgegeben von Klaus Hemmerle

Mit Beiträgen von
Klaus Hemmerle, Ludwig Hödl,
Rudolf Padberg, Lothar Ruppert,
Richard Schaeffler, Gerhard Schneider

Fragen nach Gott; Glauben an Gott; Sprechen von Gott; Wandlungen des Gottesbegriffs; Gotteserfahrung und Botschaft von Gott im Religionsunterricht; Alt- und neutestamentliche sowie fundamentaltheologische Überlegungen zur Gottesfrage heute: das sind die Themen dieses Bandes, in dem sechs Autoren (K. Hemmerle, Fundamentaltheologie; R. Schaeffler, Philosophisch-theologische Grenzfragen; L. Ruppert, AT; G. Schneider, NT; L. Hödl, Dogmatik; R. Padberg, Praktische Theologie) eine gründliche Orientierung über den gegenwärtigen Stand der theologischen Reflexion geben, mit dem Ziel, eine Brücke zu schlagen zur Praxis der konkreten Glaubensvermittlung in der Verkündigung und im Religionsunterricht.

192 Seiten, kart. lam.
ISBN 3-451-16940-1

Verlag Herder Freiburg · Basel · Wien